Le Club des Cinq
et le cirque de l'Étoile

Enid Blyton™

Le Club des Cinq
et le cirque de l'Étoile

Illustrations
Frédéric Rébéna

hachette
JEUNESSE

Claude

11 ans.
Leur cousine. Avec son fidèle chien
Dagobert, elle est de toutes
les aventures.
En vrai garçon manqué,
elle est imbattable dans tous
les sports et elle ne pleure
jamais… ou presque !

François

12 ans
L'aîné des enfants,
le plus raisonnable aussi.
Grâce à son redoutable sens
de l'orientation, il peut explorer
n'importe quel souterrain sans jamais se perdre !

Mick

11 ans comme Claude.
C'est un casse-cou (un gourmand aussi !)
qui n'hésite jamais avant de se lancer
dans les plus périlleuses aventures...

Annie

10 ans
La plus jeune, un peu gaffeuse,
un peu froussarde !
Mais elle finit toujours par
participer aux enquêtes,
même quand il faut affronter
de dangereux malfaiteurs...

Dagobert

Sans lui, le Club des Cinq ne serait rien !
C'est un compagnon hors pair, qui peut monter
la garde et effrayer les bandits.
Mais surtout c'est le plus attachant des chiens...

L'ÉDITION ORIGINALE DE CET OUVRAGE
A PARU EN LANGUE ANGLAISE
CHEZ HODDER & STOUGHTON, LONDRES,
SOUS LE TITRE :

FIVE GO OFF IN A CARAVAN

© Enid Blyton Ltd.

© Hachette Livre, 1979, 1990, 2000, 2006
pour la présente édition.

Dans les précédentes éditions, ce texte portait le titre :
Le Club des Cinq et les Saltimbanques

Traduction revue par Rosalind Elland-Goldsmith.

Tous droits de traduction, de reproduction
et d'adaptation réservés pour tous pays.

Hachette Livre, 58, rue Jean Bleuzen, 92178 Vanves Cedex.

chapitre 1

Vive les vacances !

— J'adore le début des grandes vacances, dit François. On a l'impression qu'elles ne finiront jamais...

— Et pourtant elles passent tellement vite ! soupire Annie.

— Ouah ! fait une grosse voix.

— Dagobert est d'accord avec toi, Annie ! s'écrie Claude en caressant le gros chien couché par terre.

François, Mick et Annie Gauthier jouent avec leur cousine Claude Dorsel dans un grand jardin ensoleillé. C'est leur troisième jour de liberté. D'habitude, ils passent leurs vacances à Kernach, dans la maison familiale de Claude. Mais cette fois, pour changer, ils se retrouvent tous dans la région de Grenoble. M. et

Mme Gauthier y possèdent une villa où ils viennent se reposer pendant l'été. Cette grande maison, située à flanc de colline, offre une vue splendide sur les montagnes.

François est l'aîné : c'est un garçon grand et robuste. Mick et Claude ont presque le même âge. Cette dernière ressemble plus à un garçon aux cheveux courts et bouclés qu'à une fille. Annie est la plus jeune.

— Papa m'a demandé ce matin si on se plaisait ici et si on voulait rester pendant toutes les vacances, déclare-t-elle. Qu'est-ce que vous en pensez ?

— Claude aimerait peut-être qu'on aille passer quelques jours à Kernach, avance François.

— Non, répond aussitôt sa cousine. Maman m'a prévenue que papa commençait l'une de ses expériences... Vous savez ce que ça veut dire ! Il exige un calme parfait. Si on va chez moi, il faudra éviter de se trouver sur son chemin, marcher sur la pointe des pieds et parler à voix basse...

— Pas marrant d'être la fille d'un savant ! remarque Mick en s'étirant.

— Dans ce cas, c'est très clair : on n'ira pas à Kernach cet été, conclut François. Alors, qu'est-ce qu'on fait ? C'est vrai que c'est

8

agréable ici, mais, je ne sais pas pourquoi, j'aimerais bien partir un peu... à l'aventure...

Claude soupire. Elle partage l'avis de son cousin... Fatigués par la chaleur, ils s'étendent dans l'herbe, à l'ombre d'un cerisier. Quel soleil de plomb cet après-midi ! Ils ne se sentent pas le courage de bouger. Tout autour d'eux se dressent de belles montagnes. Il fait certainement plus frais là-haut. Mais c'est tellement loin...

— Assez, Dago ! dit Annie au chien qui halète et tire la langue. On dirait que tu as couru un marathon. Tu me donnes encore plus chaud !

L'animal pose une patte amicale sur l'estomac de la fillette qui pousse un petit cri.

— Dagobert ! Tu as fini avec tes blagues ?

— Si seulement on pouvait aller loin, franchir les Alpes... soupire Claude, pensive.

Elle mordille un brin d'herbe.

— Vous vous souvenez comme on s'est amusés, quand on était seuls sur l'île de Kernach ? Est-ce qu'on ne pourrait pas aller camper dans la montagne ?

— Mais comment ? demande Mick. On est bien trop jeunes pour avoir le permis de conduire... C'est dommage, d'ailleurs, parce que je suis sûr que je ferais un excellent pilote de course ! On ne va quand même pas partir à

9

vélo ; ce serait trop fatigant, avec toutes ces côtes...

— Et pourquoi pas une randonnée à pied ? propose François après un moment de réflexion.

Sa suggestion est accueillie par un concert de grognements.

— Quoi ! Par cette chaleur ? Tu es fou !

— Bon, eh bien je crois qu'il faudra qu'on reste ici pendant toutes les vacances, rétorque le jeune garçon, un peu vexé. Dans ce cas, je vais faire une petite sieste.

Cinq minutes plus tard, ils dorment tous sous le cerisier, excepté Dagobert. Quand les enfants se reposent, le chien monte toujours la garde. Il s'installe auprès de sa petite maîtresse, Claude, et surveille consciencieusement les alentours. Du jardin, il voit le chemin qui passe devant la maison. On entend un aboiement au loin. Les oreilles de Dagobert se dressent aussitôt. Quelque chose approche. Le brave animal est tellement intrigué qu'il tremble un peu. Tout à coup, il distingue des voitures, des roulottes et des camions qui progressent sur la route, très lentement, dans un vrombissement sourd. Mais quelle est donc cette grosse masse grise qui marche en tête ? C'est un éléphant ! Dagobert n'en a jamais vu de sa vie. L'odeur de cette bête inconnue ne lui plaît pas. Il reconnaît ensuite celle des singes dans leurs cages ; il entend les jappements des chiens savants et leur répond :

— Ouah ! Ouah ! Ouah !

La grosse voix de Dagobert réveille aussitôt les quatre enfants.

— Tais-toi, râle Claude, mécontente. Pourquoi tu fais tant de bruit quand on dort ?

— Ouah ! répète le chien avec obstination, en posant la patte sur le bras de sa jeune maîtresse, comme pour lui dire : « Mais regarde donc ! »

La fillette se redresse et aperçoit le cortège qui défile devant la grille du jardin. Elle appelle les autres aussitôt :

— François ! Mick ! Annie ! Regardez, un cirque qui passe !

Tous trois s'asseyent et se frottent les yeux. Un fauve rugit. Comme elle est mal éveillée, Annie sursaute. Puis elle voit l'éléphant majestueux qui, déjà, s'éloigne sur la route, semblant conduire tout le convoi. Les enfants se lèvent d'un bond et courent jusqu'à la clôture. Ils observent les roulottes, peintes de couleurs vives et tirées par des chevaux. Sur certaines d'entre elles, on peut lire l'inscription suivante : *CIRQUE DE L'ÉTOILE*.

— J'aimerais bien faire partie d'une troupe,

11

murmure Claude. C'est le genre de vie qui me conviendrait le mieux !

— Tu ne servirais pas à grand-chose, lance Mick, d'un air taquin. Tu ne sais même pas faire la roue !

— Elle n'est pas la seule, fait remarquer Annie. C'est très dur de garder les jambes parfaitement droites.

— Ah oui ? répond son frère. Eh bien regarde ce garçon là-bas !

Mick désigne un petit acrobate qui tourne sur lui-même, en s'appuyant successivement sur les mains et sur les pieds. Lorsqu'il s'arrête, le jeune artiste aperçoit les enfants derrière la grille de leur jardin et, sans hésiter, s'approche d'eux. Aussitôt, deux fox-terriers vifs comme l'éclair se précipitent derrière lui.

Dagobert gronde. Claude le fait taire.

— Dago est toujours très méfiant à l'égard des autres chiens, explique la fillette au nouveau venu.

Celui-ci a un regard étincelant et des cheveux en broussaille. Il sourit et dit d'un air enjoué :

— Ne t'en fais pas, je ne laisserai pas mes chiens dévorer le tien !

— Ha ! Tes chiens minuscules, dévorer Dagobert ? Je voudrais bien voir ça ! répond Claude, d'un ton ironique.

12

Le jeune inconnu fait claquer ses doigts. Aussitôt, les deux fox-terriers se lèvent sur leurs pattes arrière et commencent à marcher à petits pas hésitants. La scène est hilarante.

— Mais ces chiens sont des génies ! s'émerveille Annie. Ils sont à toi ?

— Oui, tous les deux, répond fièrement le garçon. Lui, c'est Flic, et l'autre, Flac !

— Ouah ! fait Dagobert, visiblement indigné de voir des animaux se déplacer comme des hommes.

— Où est-ce que vous donnez votre prochaine représentation ? demande Claude avec intérêt. On aimerait y assister !

— Pour le moment, la troupe est en vacances, explique le jeune artiste. On connaît un coin dans la montagne avec un lac. Ça s'appelle le lac Vert, à cause de la couleur de l'eau. Comme personne ne campe là-bas, on nous a donné l'autorisation de nous y installer avec nos animaux. On pourra se reposer et s'entraîner pour les prochains spectacles.

— Tu habites dans une de ces roulottes ? questionne François.

— Oui, dans celle qui arrive, répond le garçon, en montrant du doigt une caravane peinte en bleu et rouge. Je vis là-dedans avec mon oncle, qui est le meilleur clown du cirque. Vous le voyez, là-bas ? Il monte le cheval noir !

Toute l'équipe dévisage le cavalier ; il ressemble à tout sauf à un clown ! Son visage est dur et fermé. Il fronce les sourcils en mâchonnant une vieille pipe. Sans jeter un seul regard aux enfants, il appelle son neveu d'une voix sèche :

— Pancho ! Reviens ici tout de suite !

Le nouvel ami du Club des Cinq fait une pirouette et saute dans la roulotte sans protester. Apparemment, il est très obéissant ! Bientôt sa tête brune s'encadre dans la fenêtre.

— Salut ! Peut-être qu'on se reverra ! crie Pancho, en souriant de toutes ses dents.

— Au revoir ! répondent les jeunes vacanciers, qui regrettent de se séparer d'un compagnon si surprenant.

Le défilé se poursuit. Les enfants voient passer un chimpanzé endormi dans le coin d'une cage, une douzaine de chevaux au pelage brillant, deux grands camions qui transportent des bancs, des chaises, des trapèzes, des cordes. On aperçoit même une grande bâche rayée, enroulée sur elle-même : c'est le chapiteau. Puis viennent de nouvelles roulottes : à l'intérieur, on distingue des femmes habillées de tuniques

14

pailletées. Certains artistes marchent à côté, pour se dégourdir les jambes.

Après que le dernier véhicule a disparu, les enfants retournent lentement sous le cerisier au feuillage épais. Ils s'installent en cercle, pensifs, et, tout à coup, Claude lance d'une voix vibrante :

— Je sais ce qu'on va faire ! On va louer une roulotte et partir avec dans les montagnes !

chapitre 2

Le Club des Cinq fait des projets

Les autres regardent Claude avec surprise.

— Mais oui, c'est un projet génial ! s'écrie Mick.

— C'est vrai que ce serait excitant de partir à l'aventure en roulotte ! renchérit François en souriant. J'aimerais bien trouver le lac Vert. On pourrait faire connaissance avec la troupe du cirque.

Sa cousine se frotte les mains. Elle jubile.

— Voilà un bon programme ! s'exclame-t-elle. Et puis Pancho a l'air très sympa.

— Oui, c'est vrai, approuvent ses compagnons.

— Mais vous croyez que nos parents nous donneront la permission de partir camper sans eux ? demande Annie.

17

— On peut toujours leur en parler, répond François. Je suis assez grand pour vous surveiller.

— N'importe quoi ! réplique sa cousine. Je n'ai pas besoin d'un chaperon. Au pire, je peux compter sur Dagobert !

— On pourrait prendre Nestor, le cheval de la voisine, pour tirer la roulotte, propose Annie. Regardez-le, là-bas ! Je crois qu'il s'ennuie, tout seul dans son pré.

— Mais comment se procurer une roulotte ? s'interroge Mick. Est-ce que ça se loue vraiment ?

— Oui, je crois, réfléchit François. Tu te souviens de Sébastien, notre copain de l'internat ? Il va souvent camper avec ses parents pendant les vacances. Il m'a dit qu'ils en louaient une. Je pourrais lui demander comment il faut s'y prendre.

— Sinon, papa ou maman le sauront sûrement, ajoute Annie. J'aimerais bien voyager dans une grande roulotte rouge, avec des fenêtres de chaque côté et une porte derrière...

Chacun à tour de rôle décrit ce qu'il préfère, et ils sont bientôt tellement absorbés par leur discussion qu'ils n'entendent pas le bruit de pas qui s'approche d'eux...

— Ouah ! fait Dagobert d'un ton poli.

Les enfants, étonnés, lèvent les yeux.

— Maman ! s'écrie François. Justement, on voulait te poser une question.

Mme Gauthier s'assied, souriante.

— Qu'est-ce qu'il y a ?

— Voilà, répond Annie. On aimerait partir en roulotte faire un petit voyage. Ce serait super ! Oh ! maman ! Ne dis pas non !

— Tout seuls ? questionne sa mère, interloquée.

— François s'occupera de nous, avance Annie, prudemment.

— Dagobert aussi, ajoute Claude, avec un clin d'œil à son cousin.

— Ouah ! fait le chien.

— Je dois en discuter avec votre père, répond Mme Gauthier. Ne prenez pas cet air déçu ! Je ne peux pas décider ça toute seule... Votre père se rend à Paris la semaine prochaine, et il voudrait que je l'accompagne. Donc, de toute façon, il faut que je vous trouve quelque chose à faire pendant notre absence. Je vais lui en parler dès ce soir.

— On pourrait demander à Mme Lebrun de nous prêter Nestor pour tirer la roulotte ! s'écrie Mick. Tu ne crois pas qu'elle serait d'accord ? Le pauvre cheval a une vie tellement monotone, dans son pré !

— On verra, répond sa mère. Maintenant, il est l'heure du goûter. Venez à la cuisine.

Claude, François, Mick et Annie courent se laver les mains, tout joyeux. Mme Gauthier n'a pas dit non ! Partir en roulotte dans la montagne ! Ce serait merveilleux !

Ce soir-là, malheureusement, M. Gauthier rentre très tard. Les enfants doivent se résigner à se coucher sans l'avoir vu.

Mais le lendemain matin leur réserve de bonnes nouvelles. Ils descendent tous à huit heures pour prendre le petit déjeuner. François regarde sa mère d'un œil interrogateur. Elle lui sourit.

— J'ai parlé à ton père, annonce-t-elle. Il pense que ce serait une bonne expérience pour vous de vous débrouiller tout seuls. Mais il vous faut deux roulottes. À quatre dans une seule, vous seriez trop à l'étroit.

— Mais maman, on n'a qu'un cheval, objecte Annie.

— On en trouvera bien un autre, assure François précipitamment.

— Quand est-ce qu'on part ? Demain ? demande Mick.

— La semaine prochaine, en même temps que nous, décide M. Gauthier. Quand nous partirons à Paris. Et vous devrez nous téléphoner tous les deux jours.

Annie imagine déjà les deux roulottes, les deux chevaux... Quel plaisir elle aura à tenir les rênes !

— François, je compte sur toi pour prendre soin des autres, reprend son père gravement. Tu es assez grand pour ça.

— Oui, papa, répond le garçon, très fier de la confiance qu'on lui accorde.

— Quant à vous, vous devrez l'écouter, ajoute M. Gauthier en se tournant vers Mick et les deux filles. Il faut que vous compreniez que François est chargé de veiller sur vous et de vous protéger.

Tout s'annonce pour le mieux. Dès le petit déjeuner terminé, les enfants vont discuter de leur projet dans le jardin.

— Il faut qu'on cherche le lac Vert sur la carte, déclare François. On y retrouvera le cirque.

— J'espère que Pancho voudra bien devenir notre ami, dit Annie. Il a l'air gentil. Pas comme son oncle ! Je ne comprends pas qu'il puisse être un bon clown !

— Je me demande comment on se procurera les roulottes, s'interroge Claude. Vous imaginez, quand on les verra pour la première fois ?

— Si on allait parler de tout ça à Mme Lebrun, propose Annie. J'espère qu'elle voudra bien nous confier Nestor...

chapitre 3

Voilà les roulottes !

Quelques jours plus tard, les enfants guettent l'arrivée des roulottes... Mme Gauthier les a louées à un forain qui possède une maison dans la région.

— Il paraît qu'elles seront remorquées par des voitures, confie François à ses compagnons. Mais elles sont faites pour être tirées par des chevaux. J'ai hâte de les voir !

— Les voilà ! s'exclame soudain sa cousine. Regardez ! Ce n'est pas ça, au loin, sur la route ?

Ils écarquillent les yeux. Claude a une vue perçante. Tout ce que les autres distinguent, c'est un point noir, qui semble grossir... Puis, ils aperçoivent les contours de deux roulottes, l'une derrière l'autre...

— Claude a raison ! se réjouit François. Je les vois ! Elles sont tirées par des petites voitures.

— L'une est verte et l'autre rouge, ajoute Annie.

Les enfants dévalent le chemin qui mène à la clôture du jardin. En effet, il s'agit de deux roulottes. Elles ont l'air presque neuves. Des fenêtres donnent de chaque côté, ainsi que devant, près du siège du conducteur ; derrière on trouve une large porte et deux marches. De jolis rideaux voltigent derrière les carreaux ouverts.

— J'ai hâte de voir à quoi ressemble l'intérieur, murmure Claude.

Elle doit attendre que les roulottes soient arrivées dans la cour de la maison. Les quatre enfants trottent derrière, tout joyeux.

Annie crie :

— Maman ! Maman ! Les roulottes sont arrivées !

Mme Gauthier se précipite sur le seuil. Dès qu'ils le peuvent, les enfants grimpent dans les roulottes ; ils poussent des cris émerveillés :

— Des couchettes !

— Des placards pour ranger nos affaires !

— Et ces couverts, ces assiettes et ces

24

tasses ! Tout ce qu'il faut pour faire de bons pique-niques !

— On dirait une vraie petite maison, à l'intérieur ! constate Annie. C'est tellement bien arrangé qu'on dirait que c'est grand. Maman, tu n'aimerais pas venir avec nous ?

— Bien sûr, si je le pouvais, répond Mme Gauthier en riant. Mais j'ai promis à votre père de l'accompagner à Paris. Et puis je suis sûre que vous préférez rester entre vous !

Claude est tellement impatiente de partir qu'elle veut aller chercher Nestor immédiatement...

— Du calme ! ordonne sa tante. Tu sais bien qu'il faut que j'en parle personnellement à Mme Lebrun. Et puis il vous faut un autre cheval. Nous l'aurons demain ! Votre père s'est arrangé avec les fermiers du village voisin.

Le lendemain, en effet, un petit monsieur à casquette amène Pompon. C'est un cheval robuste à l'air très doux. Les quatre enfants ont appris à monter à cheval, et à s'occuper de leur monture, mais le paysan leur donne tout de même quelques conseils. Il leur montre comment harnacher l'animal à l'une des roulottes, comment lui passer son licol, et comment curer ses sabots.

25

— On va faire nos valises et on se mettra en route demain, puisque tout est prêt, déclare enfin François.

— Pourquoi des valises ? demande sa mère, d'un air amusé. Vous pouvez mettre vos affaires directement dans les placards. Vous avez seulement besoin de vêtements et de livres, ainsi que de quelques jeux pour vous amuser s'il pleut.

— On n'a pas besoin d'emporter beaucoup de vêtements... commence Claude, qui passerait sa vie dans le même jean et le même tee-shirt, si elle le pouvait.

Mais sa tante l'interrompt d'une voix sévère :

— Il faudra prendre un pull, des tee-shirts, des shorts de rechange, un imper, des maillots de bain, des serviettes, des sandales et...

Un concert de grognements couvre sa voix.

— Tout ça ? soupire Mick. On n'aura jamais assez de place !

— Mais si ! Il faut que vous puissiez vous changer si vous êtes mouillés, sinon vous attraperez de gros rhumes et vous ne profiterez pas de vos vacances !

— D'accord, on va chercher nos affaires, grommelle Mick, résigné.

— Je vous aiderai à tout ranger dans les placards. Vous verrez qu'il y a assez de place ! assure Mme Gauthier.

Les placards s'emplissent rapidement d'habits et de linge de toilette. François apporte un jeu de cartes et des livres. Il va aussi chercher un plan des environs.

Le soir, M. Gauthier leur donne une petite brochure très utile, contenant la liste des propriétaires qui autorisent les campeurs à s'installer sur leurs terrains pour la nuit.

— Vous devez choisir un coin avec un point d'eau... N'oubliez pas que les chevaux boivent beaucoup ! Et promettez-moi de toujours vous installer près d'une ferme, sur des terres bien gardées. Vous pourrez demander à utiliser le téléphone...

— Surtout, faites bouillir l'eau que vous boirez si elle vient d'un puits ou d'un ruisseau, ajoute Mme Gauthier. C'est très important !

— Je n'arrive pas à croire qu'on part vraiment demain, murmure Annie, rêveuse.

Le lendemain matin, Mme Lebrun amène Nestor de bonne heure. Le cheval approche sa tête de celle de Pompon et pousse des hennissements très polis.

— Ils ont l'air de sympathiser, constate Mick avec satisfaction.

Les enfants harnachent les deux animaux. Nestor est attelé à la roulotte verte, celle des

27

garçons, et Pompon à la roulotte rouge, celle des filles. François inspecte une dernière fois son véhicule, puis il s'installe sur le siège du conducteur et donne le signal du départ.

— On conduira chacun notre tour, décide-t-il. Je te passerai les rênes plus tard, Mick. Et vous, les filles, vous comptez faire comment ?

— Je laisserai Annie conduire de temps en temps, promet Claude.

— J'espère bien ! s'exclame sa cousine.

— En avant, Nestor ! ordonne François. On part ! Salut, maman !

— Au revoir, les enfants, répond Mme Gauthier, un peu émue. Je vous fais confiance ! Soyez prudents ! Et n'oubliez pas de nous donner régulièrement de vos nouvelles !

La roulotte verte s'ébranle tandis que les deux garçons chantent joyeusement. Claude prend les guides de Pompon ; le grand cheval brun se met en marche derrière le véhicule des garçons. Annie, assise à côté de Claude, fait de grands gestes d'adieu.

— À bientôt, maman ! On part pour une nouvelle aventure ! Hourra ! Vive le Club des Cinq !

chapitre 4

Le départ

Les roulottes s'éloignent sur la route. François fredonne un air qu'il a entendu à la radio et les trois autres reprennent le refrain en chœur. Dagobert se met à aboyer, très excité lui aussi. Il s'est installé à côté de Claude, qui, du coup, se trouve un peu à l'étroit.

François a repéré le lac Vert sur la carte. Cette étendue d'eau borde le pied d'une montagne. Il leur faudra plusieurs jours pour y parvenir. La brochure de M. Gauthier permettra de trouver des endroits sûrs pour camper la nuit. Annie pense déjà au feu de camp qu'ils feront ce soir.

La petite troupe s'arrête vers midi et demi pour déjeuner. Tout le monde a faim. Nestor et Pompon font quelques pas vers un champ et commencent à brouter avec entrain. Les enfants s'installent à l'ombre d'un grand arbre pour s'abriter du soleil. Annie regarde Claude et constate :

— Tu as plein de taches de rousseur !

— Tant mieux ! Ça me donne bonne mine, non ? répond sa cousine, en faisant une drôle de grimace. François, passe-moi les sandwichs au poulet. J'ai une faim de loup !

Quand ils ont fini leur pique-nique, les enfants reprennent la route. C'est au tour de Mick de conduire Nestor. Son frère marche à côté de la roulotte pour se dégourdir les jambes.

Claude veut continuer de tenir les rênes de Pompon. Sa cousine ne proteste pas car elle a sommeil, et décide d'aller faire une sieste. À l'intérieur, la luminosité est plus douce et l'air bien frais. Annie grimpe sur une des couchettes. C'est très confortable ! Le véhicule avance doucement ; la fillette ferme les yeux...

François s'approche et regarde par la fenêtre. Il sourit en voyant sa sœur endormie. Il empêche Dagobert d'aller la rejoindre. Le chien risque de la réveiller d'un grand coup de langue sur le nez !

— Viens marcher avec moi, Dago, dit le jeune garçon. Ça te fera du bien de te dépenser un peu.

— Ouah ! fait le chien, en s'empressant de le suivre.

Les deux roulottes avancent assez vite. Les enfants ne se trompent pas de chemin. Ils savent très bien lire une carte.

Quand Annie se réveille, elle s'émerveille du joli paysage de montagnes qu'elle aperçoit autour d'elle.

— On est bientôt arrivés au lac Vert ? demande-t-elle naïvement.

— Mais non, Annie, répond Mick. C'est très loin ! On n'arrivera que dans quatre ou cinq jours ! Maintenant, on doit chercher un endroit où passer la nuit.

Ils feuillettent leur guide et s'aperçoivent qu'il y a un terrain de camping tout près.

— Les propriétaires doivent habiter là ! dit Claude en désignant du doigt un bâtiment au toit de tuiles, éclairé dans le lointain par un rayon de soleil.

Les enfants demandent à la fermière s'ils peuvent s'installer sur ses terres pour la nuit. La jeune femme sourit :

— Bien sûr. Vous n'avez qu'à conduire vos caravanes près du ruisseau. Est-ce que vous voulez des œufs tout frais ? Je vais vous en apporter. Pendant ce temps, cueillez des cerises sur cet arbre, pour votre dessert !

Après avoir détaché Nestor et Pompon, Mick les conduit vers le filet d'eau claire qui court en bas du champ. Les chevaux paraissent très satisfaits de boire et de se tremper les jambes. Ensuite, les enfants s'installent pour dîner. Ils bavardent autour du feu pendant plus d'une heure. Puis ils décident d'aller au lit : ils ont tous hâte d'essayer les couchettes des roulottes.

— Allez ! Dépêchez-vous, les filles, insiste François. Je veux fermer votre roulotte à clef pour que vous soyez en sécurité.

— Fermer ma porte à clef ! s'écrie Claude, indignée. Ah ! non, alors ! Personne ne m'enfermera, tu entends ? Je veux pouvoir sortir ! Et si j'ai envie de faire une balade au clair de lune ?

— Tu ne devrais pas te promener toute seule dans la campagne en pleine nuit, fait observer son cousin. Tu risquerais de te perdre.

Claude l'interrompt d'un ton irrité :

— Et Dagobert, qu'est-ce que tu en fais ? Tu sais bien qu'il retrouve toujours son chemin. Je ne veux pas que tu nous enfermes, François. Je ne le supporterai pas. Mon chien nous protégera mieux que n'importe quelle serrure !

— D'accord, d'accord ! répond le garçon. Pas la peine de te mettre en colère. Balade-toi sous les étoiles si ça te chante. Moi, je vais me coucher. Bonne nuit !

Chez les filles, Claude prend la couchette du haut, mais Dagobert veut absolument grimper pour la rejoindre. Il tient à dormir sur les pieds de sa maîtresse, comme il le fait toutes les nuits. Annie, qui s'est installée en bas, proteste contre les tentatives d'escalade du gros chien ; comme il s'entête, la fillette se fâche :

— Claude ! Il vaut mieux que tu changes de place avec moi. Dago saute partout et me piétine pour essayer de t'atteindre. J'en ai assez ! Je veux dormir tranquille !

Les deux cousines échangent leurs places. Alors le chien, tout heureux, se couche sur les pieds de la petite brunette et ne bouge plus. Rien ne trouble le sommeil des enfants jusqu'au matin et personne n'entend Pompon qui vient faire le tour des roulottes, en hennissant doucement dans la nuit...

chapitre 5

En route pour le lac Vert

Le voyage est plein de charme. Les enfants campent dans des endroits très agréables, n'oublient pas d'appeler leurs parents pour les rassurer, admirent le paysage, se baignent dans les lacs qu'ils rencontrent sur leur route...

— Ça fait déjà quatre jours qu'on est partis, constate Annie un midi.

— On ne doit plus être très loin du lac Vert, dit Mick. Voyons quelle distance il nous reste encore à parcourir.

Toutes les têtes se penchent sur la carte. François montre du doigt l'endroit où ils se trouvent, puis le lac Vert, à une vingtaine de kilomètres de là.

— On y arrivera probablement demain, estime-t-il. J'espère qu'on y trouvera le cirque !

35

— Oui ! s'enthousiasme son frère. Pancho aura certainement envie de nous faire connaître toute la troupe et de nous montrer les numéros les plus intéressants ! Il nous indiquera peut-être aussi un bon endroit pour camper.

Pendant ce temps, Pompon cherche Dagobert. Il le découvre couché sous la roulotte de Claude. Le chien, manifestement, ne veut pas bouger, et paraît déterminé à ignorer les coups de tête de son compagnon.

Les enfants observent son manège d'un œil amusé.

— Dagobert ! Ici ! Viens avec nous ! appelle Claude, en tapant des deux mains sur ses genoux. Sors de là !

Dagobert s'extirpe de dessous le véhicule et s'approche des enfants, l'air grognon : « Pas moyen de dormir tranquille ! » semble-t-il dire.

Le cheval se lève aussi et suit son compagnon. Celui-ci se couche près des enfants. Pompon l'imite. Il s'installe à côté du chien, et lui donne quelques coups de tête amicaux. Dagobert trouve ce nouvel acolyte un peu envahissant. Pourtant, comme il a bon caractère, il répond poliment d'un grand coup de langue. Après quoi il se roule en boule, bien décidé à finir sa sieste.

Le jour suivant, les enfants regardent défiler le beau paysage alpin. Ils ont hâte de trouver le cirque. Mais la route monte d'une façon presque continue, ce qui fatigue les chevaux. Dans la soirée, la petite équipée parvient à un village qui n'est plus qu'à quelques kilomètres du lac Vert.

— Il vaut mieux passer la nuit ici. C'est un peu tard pour déranger la troupe, vous ne croyez pas ? demande François. Et puis je commence à me sentir très fatigué.

— Je suis d'accord ! acquiesce Claude. On n'a qu'à chercher une ferme qui voudra bien nous accueillir.

— Justement, il y en a une dans ce village. C'est indiqué sur le guide : la ferme du Petit Moulin, déclare Mick. Je vais demander où elle se trouve à une passante.

Dix minutes plus tard, les enfants se présentent à la ferme en question. Ses prés sont traversés par une rivière. Au bord de l'eau, se dresse un vieux moulin, charmant bien qu'un peu délabré. Le fermier accorde aux Cinq la permission d'installer les roulottes dans un champ, au bord de l'eau, puis il les présente à sa fille. C'est une jeune fille rose et souriante ; elle leur vend des œufs, du lait et de la crème. Elle leur offre aussi des framboises de son jardin, à la condition qu'ils aillent les cueillir eux-mêmes.

— Vous savez s'il y a un cirque qui campe par ici ? demande François, après l'avoir remerciée.

— Oui, répond la jeune fermière. Le cortège a traversé notre village la semaine dernière. Le cirque de l'Étoile vient camper ici tous les ans.

Le lendemain matin, les roulottes prennent le chemin du lac Vert. C'est la dernière étape. Les deux chevaux gravissent lentement la route raide et sinueuse. Soudain, Claude aperçoit une vaste étendue d'eau qui scintille ; elle est d'un vert émeraude surprenant. Jamais elle n'a vu un lac d'une si belle couleur !

— C'est le lac Vert ! s'écrie la fillette.

François et Mick restent muets d'admiration.

— Allez, François ! crie Claude. Fais avancer Nestor plus vite ! J'ai hâte de le voir de près !

Ils prennent un chemin de terre, sur la droite. Il est très cahoteux, mais les vacanciers ne se plaignent même pas, tellement ils sont excités d'atteindre enfin leur but. Quand les roulottes sont arrêtées au bord du lac, les enfants sautent de leurs sièges et vont admirer les eaux étincelantes sous le grand soleil de juillet.

— Si on se baignait ? propose Annie.

Tous quatre se précipitent dans leurs roulottes, retirent leurs vêtements et enfilent leurs maillots de bain. Claude arrive en premier sur la rive, suivie de près par les deux garçons et Annie...

L'eau est tiède au bord et froide un peu plus loin, comme cela se produit souvent lorsqu'un lac de montagne est profond. Les enfants sont surpris, mais se réchauffent en nageant. Ils s'éclaboussent l'un l'autre en poussant des hurlements stridents.

— Quelle chance ! On pourra venir se baigner ici tous les jours ! s'enthousiasme Mick.

Dagobert est de la partie, bien entendu, et s'amuse autant que les enfants.

— Pompon veut venir aussi ! s'écrie tout à coup François. Regardez-le ! Il va entrer dans l'eau avec la roulotte si on ne l'arrête pas...

Tous nagent précipitamment vers le rivage. Ils arrivent juste à temps pour empêcher le cheval de traîner sa remorque dans le lac.

— C'est sa façon de nous faire comprendre qu'il vaut mieux le dételer... analyse Claude. Après tout, les chevaux aussi ont bien le droit d'aller se baigner !

Pompon et Nestor, libérés de leurs caravanes, s'empressent de boire et de s'ébrouer dans l'eau. Pendant ce temps, les Cinq s'installent pour pique-niquer. Ils dévorent leurs sandwichs, tout en faisant des projets.

— Mais où peut bien être le cirque ? demande Annie. Je ne vois rien qui y ressemble...

Les enfants balaient l'horizon du regard. Le lac est étroit et allongé. Tout là-bas, à la pointe extrême, Claude finit par distinguer une volute de fumée qui s'élève dans le ciel...

— Le camp doit être dans ce creux, de l'autre côté de la colline qui est en face de nous, dit-elle. On pourrait aller là-bas, et chercher un endroit pour s'installer, non ?

— Bonne idée, répond François. On aura le temps de discuter avec Pancho et, ensuite, de trouver un bon emplacement pour camper.

Quand le repas est terminé, les enfants attellent les chevaux et se dirigent vers le cirque. Quelle aventure les attend donc là-bas ?

chapitre 6

Pancho... et Dan l'acrobate

Quand les enfants approchent de l'extrémité du lac, ils aperçoivent de nombreuses roulottes disposées en un large cercle. L'éléphant est attaché à un gros arbre. Les chiens courent et sautillent dans tous les sens. Des chevaux trottent sous l'œil de leur dresseur, tout près du camp. Un funambule a tendu sa corde entre deux arbres, et répète son numéro. Quelques mètres plus loin se dresse un grand chapiteau. Au sommet de la bâche rayée culmine un ornement scintillant, en forme d'étoile.

— C'est génial ! s'exclame Mick, ravi.

Annie se dresse sur son siège, pour mieux voir.

— Pas possible ! On dirait que le chimpanzé

41

est en liberté, s'étonne-t-elle. Et je crois que Pancho l'accompagne !

— Oui, c'est bien lui ! renchérit François. Son singe porte un petit short blanc et une chemisette rouge ! C'est vraiment marrant !

Les enfants examinent tout de leurs regards curieux. Derrière les arbres, ils aperçoivent les cages des fauves. Une lionne lèche consciencieusement le pelage de ses petits. Deux tigres se prélassent, heureux de sentir les rayons du soleil qui filtrent à travers les barreaux ; ils ont l'air de faire la sieste.

Les chiens de cirque aboient bruyamment à l'approche du Club des Cinq. Deux hommes sortent des roulottes et observent les nouveaux arrivants d'un air surpris. Pancho et son chimpanzé s'approchent.

— Salut ! lui lance François, en souriant. Tu ne t'attendais pas à nous voir, hein ?

Tout d'abord, le jeune artiste paraît bien étonné. Il ne reconnaît pas les enfants. Puis, soudain, il pousse un cri de joie.

— C'est vous que j'ai vus la semaine dernière au bord de la route ! Qu'est-ce que vous venez faire par ici ?

Dagobert semble inquiet. Il gronde sourdement.

— C'est la première fois que Dagobert voit

un singe d'aussi près, explique Claude. Tu crois qu'ils pourront s'entendre ?

— Je n'en sais rien, répond Pancho. En général, Bimbo aime bien les chiens. Mais quand même, empêche le tien de montrer les crocs ! C'est très fort, un chimpanzé, tu sais !

— Il faudrait que Bimbo se sente en confiance avec moi, dit Claude. S'il accepte de me serrer la main, Dagobert verra qu'il est mon ami.

— Pas de problème ! s'écrie Pancho en riant. Si ça suffit pour arranger les choses... Approche-toi de lui !

Annie se demande comment sa cousine a le courage de tendre la main au chimpanzé. Celui-ci saisit les doigts de la fillette et les porte à sa bouche, comme pour faire un baisemain... Seulement, il les mordille un peu, sans lui faire mal, et Claude les retire précipitamment. Tout le monde rit.

— Il est farceur, mais il ne fait jamais de mal à personne, assure Pancho.

Rassurée, la maîtresse de Dagobert se retourne vers son chien.

— Dago, je te présente Bimbo, dit-elle gravement. C'est un ami. Gentil Bimbo !

Elle s'accroupit et caresse l'épaule du chimpanzé. Le singe répond à cette marque d'ami-

43

tié en lui tapant sur la tête et en tirant une de ses boucles... Dagobert remue la queue. Il semble encore hésiter. Quelle est donc cette étrange bête que sa maîtresse paraît tant apprécier ? Enfin, il avance vers Bimbo et, se souvenant de ses bonnes manières, lui tend la patte. Le singe l'attrape et la secoue vigoureusement. Puis il fait deux pas en contournant le chien, empoigne la queue de ce dernier et l'agite dans tous les sens. Dagobert, désemparé, ne sait que penser d'un tel comportement. Enfin... Puisque Claude a l'air de tenir à ce qu'il soit ami avec cette drôle de bête, mieux vaut sans doute ne pas protester. Il se contente de s'asseoir en ramenant fermement sa queue sous lui. Les enfants rient aux larmes. Le chien se console en voyant arriver Flic et Flac, les deux petits fox-terriers savants, qu'il reconnaît aussitôt. Eux non plus ne l'ont pas oublié.

— Tout va bien, constate Pancho. Ils présenteront Dagobert aux autres animaux du cirque. Hé ! Attention à Bimbo !

Le chimpanzé s'est glissé derrière François et introduit discrètement sa main dans la poche du jeune garçon. Son maître, indigné, lui fait retirer la patte et lui donne une tape.

— Vilain singe ! le réprimande-t-il.

Le chimpanzé se couvre la face comme s'il

était honteux de son geste. Mais les enfants s'aperçoivent qu'il regarde à travers ses doigts écartés : son œil luit, malicieux.

— Quand Bimbo s'approche, méfiez-vous toujours de lui. Il aime bien chiper ce qu'il y a dans les poches. Je n'arrive pas à l'en empêcher ! Hé, mais dites-moi, ces roulottes sont à vous ?

— On les a louées, explique Mick, fièrement. C'est en voyant passer le cirque, avec toutes ses roulottes, qu'on a eu l'idée de s'en procurer pour faire un petit voyage.

— Et on a eu envie de te retrouver pour que tu nous montres les animaux et que tu nous présentes les artistes, ajoute François. J'espère que ça ne t'ennuie pas.

— Au contraire, je suis très content, répond Pancho en rougissant de plaisir... Je connais toutes les bêtes, mais surtout les chevaux du cirque ! Je suis apprenti dresseur. Vous pourrez assister à nos répétitions.

— Oh ! Merci ! crient les enfants.

— Hep ! Bimbo ! Reste tranquille ! Regardez-le taquiner votre chien !

Mais Dagobert ne se laisse pas faire. Il semble même trouver un certain plaisir à déjouer les ruses du singe.

— J'ai l'impression que ce singe est le comique du cirque ! remarque François.

— Exact ! Il n'arrête pas de faire des blagues ! Quelquefois, il met tout sens dessus dessous... Bimbo, dans son genre, est un excellent clown.

— J'aimerais bien voir son numéro, dit Annie. Tu es sûr que ton oncle te permettra de nous montrer tous les animaux ?

— Je ne lui demanderai pas la permission. Je sais qu'il refusera.

Annie regarde autour d'elle d'un air inquiet.

— J'espère qu'il n'est pas dans les parages, murmure-t-elle. Il n'a pas l'air très marrant. Quand je pense que c'est le meilleur clown de la troupe...

— Il est parti faire une course, répond Pancho. Il aime être seul. Il n'a qu'un ami dans le cirque, c'est Dan, l'acrobate. Tenez, justement, le voilà qui sort de chez lui !

Dan est un grand garçon maigre au visage anguleux. Il semble tout désarticulé. Il s'assied sur les marches d'une roulotte, et commence à lire le journal. Il n'a pas l'air plus sympathique que l'oncle Carlos.

— C'est un bon acrobate ? demande Annie tout bas.

— Oui, il a un talent exceptionnel ! répond

46

Pancho, d'un ton admiratif. Il peut escalader n'importe quoi, il grimpe aux arbres en quelques secondes... Il sait danser sur une corde raide, et faire dix tours de piste en marchant sur les mains.

Les enfants observent Dan. Ce dernier sent leurs regards peser sur lui, tourne la tête vers eux et fronce les sourcils.

« Eh bien, pense François, c'est peut-être un grand artiste, mais il n'a pas l'air accueillant ! »

L'acrobate se lève et s'avance vers les enfants. Il s'adresse à Pancho d'une voix sèche :

— Tu connais ces gosses ? Qu'est-ce qu'ils viennent faire ici ?

— On est venus dire bonjour à Pancho, intervient poliment François.

Dan jette un regard irrité en direction du jeune garçon et demande brusquement :

— C'est à vous, ces roulottes ?

— Oui, répond Mick.

— Pas mal, apprécie l'homme. C'est du bon matériel. Il y a bien quelqu'un qui vous accompagne ?

— Non. C'est moi le responsable, explique François, fièrement. Et on a un vrai chien de garde.

Dagobert s'approche de Dan, en grognant.

47

Apparemment, l'acrobate ne lui plaît pas. Il tente de renifler son pantalon, mais reçoit un coup de pied. Claude retient son protégé, qui semble prêt à bondir sur son agresseur.

— Si vous faites mal à mon chien, il vous mordra ! hurle la fillette, furieuse. Alors évitez de vous trouver sur son chemin, sinon vous courrez des risques...

Dan esquisse un petit sourire de mépris. Puis il s'éloigne en disant :

— Vous allez décamper en vitesse ! On ne veut pas de gosses ici. Et je n'ai pas peur de votre sale cabot ! Je sais comment m'y prendre avec ce genre de bête !

— Qu'est-ce que vous voulez dire ? demande Claude, d'une voix mal assurée.

Mais l'acrobate ne se retourne pas pour lui donner des explications. Il monte les marches de sa roulotte et claque la porte derrière lui.

— Et voilà... Vous avez mis Dan en colère, constate Pancho, navré. Vous feriez mieux de partir. Et faites bien attention à votre chien, ou il aura de gros ennuis...

— Des ennuis ! s'indigne Claude. Si tu t'imagines que mon chien se laisserait piéger aussi facilement, tu te trompes !

— Bon, ça va. Je veux seulement te prévenir. Ce n'est pas la peine de crier. Si on allait vérifier ce que fait mon singe ? Je viens de le voir entrer dans l'une de vos roulottes !

Le chimpanzé a déniché une boîte de friandises et se sert généreusement. Dès qu'il reconnaît les enfants, il enfourne une poignée de bonbons dans sa bouche, pousse un petit grognement et se voile la face.

— Bimbo ! s'écrie Pancho. Tu veux vraiment que je te punisse ?

— Oh ! Non ! proteste Annie. C'est vrai qu'il fait des bêtises, mais il est tellement marrant ! On a plein de sucreries en réserve. Toi aussi, Pancho, prends-en une !

— Merci ! répond le jeune dresseur de chevaux en se servant dans le paquet.

Il sourit largement et ajoute :

— C'est chouette d'avoir des copains comme vous !

chapitre 7

Une visite dans la nuit

Personne n'a envie d'entamer le tour du camp ce jour-là. Dan a fait un peu peur aux enfants. À la place, c'est Pancho qui visite les roulottes du Club des Cinq.

À quatre heures et demie, François propose de préparer le goûter.

— Tu veux manger avec nous ? demande-t-il au jeune dresseur de chevaux.

— Oui, ce serait super. J'ai vu que vous aviez plein de bonnes choses dans vos placards...

— On est très contents que tu restes avec nous, assure Annie. Moi, je meurs de faim. Si on ouvrait un paquet de biscuits au chocolat ? Tu aimes ça, Pancho ?

— J'en raffole ! répond le jeune garçon. Et

Bimbo aussi ! Faites attention à lui, sinon il les dévorera tous !

Tous les amis s'asseyent dans la bruyère. Flic et Flac tiennent compagnie à Dagobert. Bimbo s'installe près d'Annie, et grignote les morceaux de gâteaux qu'elle lui tend. Pancho mange plus que tout le monde et parle sans arrêt. Il fait rire aux larmes ses nouveaux amis en imitant son oncle dans quelques-unes de ses clowneries. Il se met la tête en bas, les pieds en l'air, et avale un biscuit dans cette position, au grand ébahissement du chien de Claude.

Quand ils ont fini leur goûter, Pancho se lève.

— Il faut que je m'en aille, maintenant. C'était un super après-midi. Merci !

— Reviens nous voir ! disent ses nouveaux amis.

— Je ne demande pas mieux. Est-ce que vous allez camper ici longtemps ?

— Je ne sais pas, répond François. Dan avait l'air assez menaçant. Je ne veux pas que tu aies des ennuis à cause de nous. On pourrait aller plus haut dans la montagne. Quand on sera installés, tu viendras nous voir. On n'ira pas très loin. Et dès que ce sera possible, on reviendra visiter le campement du cirque avec toi.

— D'accord ! Salut ! Allez, viens, Bimbo, en route !

Le jeune dresseur de chevaux s'éloigne avec ses chiens et son singe, qu'il tient par la main. Mais le chimpanzé ne paraît pas disposé à quitter le Club des Cinq. Pancho doit le traîner comme un enfant capricieux. Les enfants observent leurs nouveaux compagnons s'éloigner.

Quelques heures plus tard, à la tombée de la nuit, de gros nuages envahissent le ciel. Avant de se coucher, François regarde par la fenêtre de sa roulotte ; il fait tellement sombre qu'on ne voit aucun reflet sur le lac.

Un peu plus tard, Dagobert entend un léger bruit. Il dresse les oreilles, lève la tête et se met à grogner. Bientôt il distingue des pas qui viennent de deux directions différentes, puis un murmure de voix... Il gronde plus fort. Claude finit par se réveiller.

— Qu'est-ce qu'il y a ? demande-t-elle.

Le chien ne bouge pas. Il écoute. À son tour, sa maîtresse discerne des bruits de voix étouffés. La fillette se lève tout doucement. Elle s'approche de la porte de la caravane, restée entrouverte. La nuit est tellement noire qu'elle ne voit rien. Les voix ne semblent pourtant pas venir de loin. Claude pose la main sur le cou de Dagobert pour le calmer. Elle entend craquer une allumette et, au-dessus de la flamme, entrevoit deux visages. Elle reconnaît immédiatement l'oncle de Pancho et Dan, l'acrobate.

Que font-ils là ? Claude voudrait avertir François et Mick, mais comment quitter la roulotte sans se faire remarquer ? Elle décide finalement de ne pas bouger et d'écouter la conversation des deux hommes.

Ils parlent bas. On ne distingue presque rien, bien que la discussion ait l'air très animée. Enfin, une des deux voix se fait entendre nettement :

— C'est d'accord.

Des pas résonnent, et semblent s'approcher de la caravane de Claude ! La fillette tient solidement Dagobert, qui s'agite.

— Chut ! lui glisse-t-elle dans l'oreille.

Le chien reste immobile et silencieux, mais il est prêt à bondir.

« S'ils rentrent ici, je lâche Dago sur eux ! » pense sa jeune maîtresse.

Mais le clown et l'acrobate n'ont pas l'intention de s'introduire dans la caravane. Au contraire, dans l'obscurité, ils ne la voient pas et ils se cognent dedans violemment en lançant quelques jurons.

Dagobert aboie furieusement. Claude, qui le tient toujours, entend Dan s'exclamer :

— Ce sont les roulottes des gosses ! Je leur avais pourtant dit de déguerpir !

Tout ce vacarme réveille Annie et les garçons. François saute de son lit, se précipite dehors avec sa lampe de poche. Il braque le faisceau de lumière sur les deux hommes qui se tiennent près de la roulotte des filles.

— Qu'est-ce que vous faites là ? hurle-t-il. Dégagez !

Mais François a commis une grave maladresse. Carlos et Dan ont tous deux mauvais caractère.

— À qui est-ce que tu crois parler ? s'écrie le clown. C'est toi qui va t'en aller, tu entends ?

— Cet après-midi je vous ai ordonné de décamper ! ajoute Dan hors de lui. Vous allez faire ce qu'on vous dit, ou je lâche tous les chiens sur vous !

Annie se retient de pleurer. Claude tremble de rage. Mick prend la parole. Il s'exprime d'un ton calme, mais déterminé :

— On s'en ira demain matin, comme on l'a prévu. Vous ne pouvez pas nous faire partir maintenant, en pleine nuit. C'est aussi bien notre terrain de camping que le vôtre ! Alors laissez-nous tranquilles !

— Espèce d'insolent ! marmonne Dan entre ses dents. Tu vas voir ce que tu vas voir !

L'acrobate fait un pas en direction du jeune garçon.

— Vas-y, Dago ! glisse Claude à l'oreille de son chien. Ne mords pas, mais fais-leur peur !

Elle lâche le collier. Dagobert s'élance, en aboyant d'une façon terrifiante... Il sait ce que sa maîtresse attend de lui. Malgré son envie folle de croquer les mollets de ces affreux personnages, il se contente de faire semblant. Les deux hommes sont pris de court. L'acrobate donne un coup de pied au chien, qui l'évite de justesse et en profite pour attraper le bas de son pantalon... Un brusque craquement se fait entendre.

— Dégageons ! s'écrie Dan, en voyant la déchirure de son vêtement. Cette sale bête nous égorgerait !

Voyant les hommes s'éloigner à reculons, Claude siffle son fidèle compagnon. Mais avant de prendre définitivement la fuite, le sinistre clown jette par-dessus son épaule :

— Si vous ne déguerpissez pas demain matin, vous le regretterez !

— S'ils reviennent, mords-les ! ordonne Claude à son chien, quand les deux hommes ont disparu.

56

Mais ni Dan ni Carlos ne se seraient de nouveau aventurés près des roulottes cette nuit-là !

chapitre 8

Dans la montagne

Claude raconte à ses cousins comment, éveillée par Dagobert, elle a entendu les hommes discuter à voix basse.

— Je ne pense pas qu'ils nous voulaient du mal, analyse-t-elle. Ils sont venus là pour parler d'un secret que les autres membres du cirque ne devaient pas entendre. J'ai l'impression qu'ils ne savaient pas que notre roulotte se trouvait ici. Du coup, ils se sont cognés dedans...

— Ces types m'inquiètent... déclare François. Il faut qu'on ferme les roulottes à clef. Claude, je sais que Dago monte la garde, mais quand même...

— Alors, donne-moi la clef. Je m'enfermerai de l'intérieur, réplique sa cousine.

Avant de s'endormir, François fait une confidence à Mick :

— J'ai hâte de partir d'ici et d'aller dans la montagne. On sera plus tranquilles là-haut.

— Oui. Demain, on filera de bonne heure.

Le lendemain, les quatre enfants se réveillent tôt. Personne n'a envie de faire la grasse matinée. Dès qu'ils ont bu leur chocolat et mangé quelques tartines, ils attellent les chevaux et se mettent en route.

Le chemin grimpe en pente douce. Après une demi-heure, le Club des Cinq arrive devant un solide pont de pierre qui franchit un torrent.

— D'après le guide, on devrait trouver un endroit où installer nos roulottes un peu plus haut, déclare Mick.

En effet, après deux tournants ils aperçoivent une grande ferme, composée de plusieurs bâtiments anciens. Des poules caquettent dans la cour. Plusieurs troupeaux de vaches paissent dans les prés. Le fermier a entendu approcher les caravanes. Il sort de l'étable avec ses chiens. Quand il s'aperçoit que le convoi est conduit par des enfants, il a l'air surpris. Les roulottes s'immobilisent à l'entrée de la propriété. L'homme s'avance vers les jeunes voyageurs et leur souhaite la bienvenue. C'est un petit monsieur très sympathique et très accueillant. Il s'appelle M. Monnier.

— Nous cherchons un endroit où camper, dit François. Est-ce qu'il y a de la place pour nous sur votre terrain ?

— En ce moment, tous les prés sont occupés par nos vaches et nos chevaux. Mais vous trouverez tout près d'ici un coin bien abrité, avec une belle vue sur le lac. Vous pourrez passer chez nous quand vous voudrez. Mon épouse sera ravie de vous offrir des œufs frais et du lait.

— C'est d'accord ! dit François. On va d'abord faire connaissance avec Mme Monnier, et ensuite on ira s'installer là-bas. Est-ce que vous nous autorisez à utiliser votre téléphone ? Nous devons donner des nouvelles à nos parents.

— Bien sûr ! répond l'homme, en conduisant la petite troupe vers la maison.

La fermière est une grande femme, alerte et gaie. Elle accueille les enfants avec un grand sourire.

— Nous serons enchantés de voir de temps en temps vos gentilles frimousses, leur dit-elle. Nous adorons les enfants ! D'ailleurs, depuis que notre fils Gaspard a quitté la maison pour

61

aller s'installer en ville, nous avons adopté deux petites orphelines, Émilie et Caroline.

François, Claude, Mick et Annie retournent à leurs roulottes, les bras chargés de nourriture. Moins d'un kilomètre plus loin, ils aperçoivent un joli bois de pins. Un petit cours d'eau ruisselle entre les grands arbres. Au-delà s'ouvre une sorte de large gorge : au fond, le lac Vert s'étale à perte de vue.

— Je me demande d'où vient cette couleur émeraude, s'interroge Annie.

— Moi aussi, répond Mick. J'ai déjà vu des lacs bleu foncé, mais ce vert profond est bien plus beau !

Les enfants garent les roulottes en faisant reculer les chevaux, ce qui n'est pas simple. Le sol est couvert d'un épais tapis de bruyère. Dans les crevasses de la roche, de petites fleurs montrent leurs clochettes. C'est un coin charmant pour camper.

— C'est vraiment l'endroit idéal, constate Claude. Et c'est tranquille ! Personne ne nous dérangera ici.

Mais la fillette a parlé un peu trop vite !

chapitre 9

Une rencontre désagréable

Les enfants détellent les chevaux et les conduisent à la ferme. Le fermier accepte de les mettre dans l'enclos où broutent ses propres bêtes. La petite troupe retourne ensuite aux roulottes. L'emplacement de leur camp est bien exposé. Le sol rocheux forme une sorte de terrasse qui surplombe la vue splendide.

— Si on prenait nos repas ici ? propose Claude.

— Bonne idée ! approuve Annie. Mais il faudra faire attention à ne pas s'asseoir trop près du bord.

— Hé ! J'aperçois un peu de fumée là-bas, s'écrie Mick en désignant du doigt la pointe extrême du lac Vert. C'est le cirque de l'Étoile !

Vous voyez ce canot sur le lac ? Qu'est-ce qu'il semble petit !

— Peut-être que Pancho est dedans, commente Claude. On a pensé à emporter des jumelles ?

— Oui, elles sont dans notre roulotte, répond François. Je vais les chercher.

Il entre dans la caravane verte, fouille dans les tiroirs et revient en courant.

— Les voilà ! déclare-t-il, en confiant l'instrument à sa cousine.

Celle-ci s'en empare, et s'écrie :

— Je distingue très nettement le bateau ! C'est bien Pancho qui rame ! Mais qui est avec lui ? Ah ! C'est Bimbo !

Tout le monde veut voir le jeune dresseur de chevaux et son singe sur leur embarcation. Les jumelles passent de main en main.

— On pourra dire à Pancho de nous faire signe de son canot pour nous avertir que Dan et Carlos sont partis, suggère Mick. Comme ça, on saura que la voie est libre, et qu'on peut descendre visiter le camp !

Il fait très chaud, cet après-midi. Les enfants sont bien contents d'être dans la montagne, où la brise les rafraîchit de temps en temps. Au moment du goûter, François propose :

— Si on allait au lac ce soir ? On n'a pas

fait grand-chose depuis qu'on s'est installés. J'aimerais bien me dégourdir un peu les jambes.

— Moi aussi ! déclare Claude. Mais il vaut mieux laisser Dagobert ici. Si jamais il rencontre Dan et Carlos, il se jettera sur eux. Imaginez qu'on soit dans l'eau à ce moment-là... On ne pourrait pas le retenir !

— Tu as raison, approuve Annie. Il gardera les roulottes pendant notre absence.

Vers cinq heures, les enfants prennent leurs serviettes et leurs maillots de bain. Puis ils se mettent en route. Dagobert proteste à sa manière, lorsqu'il comprend qu'il n'est pas de la promenade.

— Tu es de garde, Dago ! explique Claude. Tu dois surveiller notre camp.

— Ouah ! répond le chien.

Il obéit et regarde partir ses compagnons d'un air triste. Il pointe les oreilles pour entendre leurs voix le plus longtemps possible, puis il va se nicher sous la roulotte de sa maîtresse.

La petite équipe descend vers le lac par un chemin de traverse. Après dix minutes, le sentier devient impraticable, et ils sont obligés de revenir sur leurs pas. Mais soudain, dans un tournant, ils voient surgir, à quelques mètres d'eux, l'oncle de Pancho et son ami Dan !

— Restons groupés et continuons de marcher, dit François à voix basse. Faisons comme si Dago était derrière nous.

— Dagobert ! appelle Claude aussitôt.

Les deux hommes semblent, eux aussi, surpris de cette rencontre. Ils s'arrêtent et froncent les sourcils en voyant le groupe.

— Attendez une minute ! s'écrie Carlos. Vous êtes encore dans le coin ? Je vous croyais partis !

Les enfants pressent le pas sans dire un mot. Carlos regarde autour de lui et, ne voyant pas Dagobert, court après eux.

— Où sont vos roulottes ? Où est-ce que vous campez ? demande-t-il.

Mick se retourne.

— Désolé, on n'a pas le temps de s'arrêter, rétorque-t-il sèchement.

— Répondez-nous ! On ne vous fera pas de mal. On veut seulement savoir où vous avez installé vos caravanes. Vous seriez mieux en bas, en tout cas !

— Continuez à marcher, chuchote François.

— Dago ! crie de nouveau Claude.

Elle espère qu'en l'entendant appeler son chien, le clown cessera de les poursuivre. En effet, il s'arrête, paraît réfléchir un instant, et repart, mécontent, vers son acolyte. Tous deux poursuivent leur route.

— On a réussi à se débarrasser d'eux, constate François. Je me demande bien ce qu'ils viennent chercher par ici.

Quelques minutes plus tard, tout le monde plonge dans les eaux vertes. Tout à coup, Pancho fait son apparition sur le bord du lac. Il hurle :

— Hé ! Attendez-moi ! J'arrive ! Dan et mon oncle sont partis et ils ne reviendront que ce soir. C'est génial ! On va pouvoir s'amuser tous ensemble.

Flic et Flac accompagnent Pancho, mais Bimbo, le chimpanzé, n'est pas là. Le jeune dresseur de chevaux se précipite dans l'eau. Arrivé près de Claude, il l'éclabousse en riant très fort.

— Arrête, Pancho ! Laisse-moi parler ! crie Claude. On a rencontré ton oncle et son ami en descendant de la montagne.

— Ah bon ? fait Pancho, étonné.

— Ils avaient l'air très surpris de nous voir ! ajoute François. J'espère qu'ils nous laisseront tranquilles, maintenant.

— Mon oncle m'a fait la leçon, ce matin, révèle Pancho. Il m'a dit que je ne devais plus jamais vous parler ! Mais bon, tant qu'il est

67

là-haut, dans la montagne, je ne risque pas grand-chose ! Personne n'ira lui raconter que je lui ai désobéi, puisque, à part Dan, tout le monde au cirque le déteste...

— J'espère quand même qu'on ne va pas t'attirer d'ennuis... murmure Annie.

— Au fait, dit François. On t'a aperçu dans ton canot avec Bimbo. Le jour où tu pourras nous faire visiter le camp, tu n'auras qu'à agiter un mouchoir ou n'importe quoi. On te verra bien avec nos jumelles et on te rejoindra tout de suite.

— D'accord ! répond le jeune garçon. Venez, on va faire un concours ! Je parie que je peux vous battre pour sortir de l'eau !

Les cinq enfants se lancent dans une course très serrée. Finalement, c'est Claude qui arrive la première. Ils se sèchent tous vigoureusement.

— J'ai une faim de loup, maintenant ! s'écrie Mick. Tu veux dîner avec nous, Pancho ?

chapitre 10

Un curieux changement d'humeur

Pancho a bien envie de suivre les enfants et de passer la soirée avec eux. Mais il a peur de rencontrer Dan et son oncle.

— On marchera devant et si on les voit, on t'avertira tout de suite. Tu n'auras alors qu'à te cacher jusqu'à ce qu'ils soient passés, propose Mick. On fera attention, parce qu'on ne tient pas plus que toi à les croiser !

— Bon, alors je vous suis, décide Pancho. J'emmène Flic et Flac. Ils seront contents de voir Dagobert.

Quand ils s'approchent du bois de pins, François déclare, d'un air soulagé :

— On est presque arrivés. Et pas un signe de Carlos ni de l'acrobate.

À ce moment précis, Dagobert aboie dans le lointain.

— Tiens ! fait Claude. Qu'est-ce qui se passe ?

Pancho s'arrête net.

— Peut-être que quelqu'un est en train de rôder autour de vos roulottes... Ça ne m'étonnerait pas beaucoup que ce soit mon oncle. Il est capable de tout ! D'ailleurs, pour tout vous dire, il n'est pas vraiment de ma famille. Mes parents sont morts, mais ils lui avaient laissé un peu d'argent pour m'élever. Il paraît qu'ils lui avaient demandé de se charger de moi. Alors il a dit à tout le monde que j'étais son neveu. J'ai dû rester avec lui depuis ce temps-là !

— Tes parents travaillaient au cirque de l'Étoile ? demande Annie.

— Oui. Mon père était clown, lui aussi. Il y a eu beaucoup d'artistes dans ma famille. Moi, quand je serai grand, je m'occuperai des chevaux.

Au loin, on entend un nouveau hurlement.

— Dagobert aboie toujours ! constate Claude, inquiète.

Les enfants arrivent enfin au bois de pins. Mick, qui marche le premier, s'arrête brusquement. Il vient de voir deux corps allongés, dans l'herbe, sous les arbres : c'est Dan et Carlos !

Il est trop tard pour que Pancho ait le temps de se cacher. Les hommes l'ont déjà vu. Ils se lèvent et attendent que le groupe se rapproche. François les observe. À sa grande surprise, ils sourient et semblent de bonne humeur. Dan s'avance.

— C'est là que vous campez, on dirait, dit-il en montrant du doigt les roulottes rouges et vertes. Vous comptez rester longtemps ?

— Ça ne vous regarde pas, répond François, glacial. Vous nous avez dit de partir quand on était près du lac, et c'est ce qu'on a fait. Maintenant, on n'a pas de comptes à vous rendre.

Le sourire disparaît du visage de l'acrobate. Carlos s'approche à son tour :

— On est venus ici ce soir pour mettre certains de nos animaux au frais. Mais on ne voudrait pas vous faire courir de risques...

— Il y a assez de place sur cette montagne pour vous, pour vos animaux, et pour nous aussi ! réplique Claude. Vous ne nous faites pas peur. On restera ici aussi longtemps qu'on voudra ! M. Monnier le fermier nous a dit qu'on était les bienvenus dans le coin, et il nous aidera si c'est nécessaire.

71

— Ouah ! Ouah ! ajoute Dagobert, en hérissant le poil.

— Ce chien-là devrait être supprimé. Il est dangereux ! décrète Dan, avec un mauvais regard.

— Il n'est dangereux que pour les gens qui lui paraissent avoir de mauvaises intentions ! s'écrie la fillette. Ne rôdez pas autour de nos roulottes quand Dagobert est de garde. Sinon, vous le regretterez !

L'acrobate perd patience.

— Alors, vous partez, oui ou non ? On veut installer la ménagerie sur cette partie de la montagne. Vous pouvez même redescendre et camper près du lac, si ça vous chante !

Les enfants le regardent, ébahis.

— Vous seriez mieux en bas, non ? renchérit Carlos. Vous pourriez vous baigner tous les jours et Pancho vous fera visiter le cirque. Si vous voulez, il vous fera assister à une répétition sous le chapiteau.

C'est au tour de Pancho d'avoir l'air ahuri.

— Quoi ! s'écrie-t-il. Tu m'as grondé parce que j'avais parlé avec eux et maintenant tu... Qu'est-ce que ça veut dire ? Et puis on n'a jamais emmené nos animaux dans la montagne...

72

— Tais-toi ! l'interrompt rudement son oncle.

Puis l'homme se reprend et continue, en s'efforçant de paraître aimable :

— Je pensais que c'était une mauvaise idée que Pancho devienne votre ami : il souffrira de vous quitter quand le cirque reprendra la route. Mais puisque vous insistez, je suis d'accord. Venez camper au bord du lac et il vous présentera toute la troupe.

— Vous avez sûrement une bonne raison de nous faire cette proposition, rétorque François, méfiant. Mais on ne changera pas nos plans. On reste ici !

— Allons retrouver Dago, décide Claude. Il aboie parce qu'il nous entend. S'il vient ici – et ça ne va pas tarder – on aura du mal à l'empêcher de vous sauter dessus...

François, Mick et les deux filles se mettent en marche. Pancho regarde son oncle d'un air hésitant. Il ne sait pas s'il doit suivre ses amis.

— Va avec eux si ça te chante ! persifle Carlos.

Le jeune garçon ne comprend rien à l'attitude de son oncle, mais il se dépêche de rejoindre les autres enfants. Dagobert vient à leur rencontre et les salue de joyeux jappements.

73

— Salut, toi ! s'écrie Claude en le caressant. Tu es le meilleur des chiens de garde ! Tu as bien senti que ces types étaient louches.

— Si on préparait le dîner ? suggère François.

Bientôt ils s'installent sur le roc avec des œufs durs, du jambon et une belle salade de tomates. Quand ils en sont au dessert, Annie va chercher un des gâteaux que leur a offert la fermière. Il est tellement délicieux que Pancho en reprend trois fois.

— Eh bien ! Quel repas de rois ! s'exclame-t-il lorsqu'il a terminé.

Ils passent encore une heure à discuter, puis le soleil disparaît derrière les sommets alpins, et le lac prend des reflets dorés. Le jeune dresseur de chevaux se lève à regret. Flic et Flac, qui tiennent compagnie à Dagobert, s'apprêtent à le suivre.

— Je dois rentrer au camp, déclare Pancho. Venez voir la répétition demain... Le funambule a mis au point un nouveau numéro très impressionnant !

— Qu'est-ce qui nous dit que ton oncle n'aura pas à nouveau changé d'idée ? Peut-être que demain, il ne voudra plus de nous au camp... fait remarquer Annie.

Le jeune artiste se gratte la tête, perplexe.

— Si tout va bien, je sortirai le canot et je vous ferai signe avec un mouchoir, promet-il. Comme ça, vous saurez que vous pouvez venir. Allez ! À bientôt ! Salut !

chapitre 11

Au camp du cirque

Le lendemain matin, après le petit déjeuner, Mick va jusqu'à la ferme pour y demander deux bouteilles de lait. Pendant ce temps, François observe le lac avec les jumelles. Il attend l'apparition du bateau de Pancho.

— Venez voir ! Voici le canot ! Et quelque chose qui s'agite : ça paraît vraiment trop grand pour être un mouchoir. On dirait plutôt un drap !

— En tout cas, conclut Annie, ça veut dire qu'on peut descendre au camp. Vous êtes prêts ?

— Pas tout à fait, répond Mick qui déballe les provisions que Mme Monnier lui a données en plus des deux bouteilles de lait. Il faut que je range tout ça...

— Est-ce qu'on emmène Dagobert ?

demande Claude. J'aimerais bien, mais il vaut mieux qu'il reste ici pour garder nos affaires. Dan et Carlos paraissent s'y intéresser d'un peu trop près...

— Et puis on ne peut pas laisser les roulottes sans surveillance, même si on les ferme à clef, complète Mick. Elles ne nous appartiennent pas.

Quand il comprend ce qu'on attend de lui, Dagobert prend un air désolé. On l'abandonne là, tout seul, encore une fois ? Il doit vraiment passer des heures à côté de ces petites maisons sur roues ? Les enfants le caressent avant de partir. Cette fois, le chien manifeste sa mauvaise humeur en leur tournant résolument le dos. Le groupe s'éloigne, mais le brave compagnon ne suit pas ses amis du regard, comme il le fait d'habitude.

— Il boude, explique Claude, navrée de faire de la peine à son fidèle compagnon.

Les enfants dévalent le sentier. Ils arrivent bientôt au bord du lac. Ils y trouvent Bimbo, les deux fox-terriers et, bien sûr, Pancho. Ce dernier court vers eux.

— Alors, vous m'avez bien vu, de là-haut ?

— Oui, répond Annie. Mais qu'est-ce que tu agitais ?

— Une chemise de mon oncle. J'ai pensé

qu'il valait mieux prendre quelque chose de grand, qu'on puisse voir de loin.

— En parlant de ton oncle : il est toujours d'accord pour qu'on fasse un tour dans votre camp ? demande François.

— Oui, répond Pancho. Il m'a dit de vous montrer les animaux du cirque et tous les numéros que vous voulez ! Profitons-en ! Oncle Carlos ne reste jamais longtemps de bonne humeur !

— Où est-ce qu'on peut déposer nos maillots et les paniers de pique-nique ? s'informe Annie. Il faudrait un endroit frais, si possible.

— Mettez-les chez moi, propose le jeune dresseur de chevaux.

Il les conduit à une roulotte, que les quatre enfants reconnaissent tout de suite : ils l'ont vue passer devant leur maison une semaine plus tôt.

— Maintenant, venez voir la ménagerie ! Si on commençait par l'éléphant ?

Les autres ne demandent pas mieux. Le pachyderme est attaché à un arbre. Il enroule sa trompe autour de la taille de Pancho.

— Alors, Titan, tu veux prendre un bain dans le lac ?

L'animal répond par un barrissement qui fait sursauter les visiteurs.

— D'accord ! Je t'y emmènerai plus tard. Allez, hop !

À ce signal, l'éléphant resserre l'étreinte de sa trompe, soulève le garçon dans les airs et le place tout doucement sur sa grosse tête...

— Il ne t'a pas fait mal ? s'enquiert Annie, inquiète.

— Mais non, voyons ! Titan est très doux. Pas vrai, mon gros ?

Un petit homme s'avance en souriant.

— Salut à tous ! dit-il. Qu'est-ce que vous pensez de notre éléphant ? Vous voulez le voir jouer au tennis ?

— Oui ! s'écrient les enfants.

L'homme tend une raquette à l'animal, qui la saisit avec sa trompe. Pancho se laisse glisser souplement de la tête de Titan jusqu'à terre.

— Laisse-moi jouer avec lui, Fred !

Le dresseur d'éléphant lui tend la seconde raquette et une balle. Le garçon prend du recul et lance la balle à son gigantesque adversaire, qui la lui renvoie avec adresse.

— Est-ce que je peux essayer ? demande fébrilement Mick.

Chacun des enfants veut jouer avec Titan. Ils s'amusent comme des fous. Ensuite, ils vont voir les chiens savants. Il y a parmi eux une majorité de fox-terriers. Très vifs, soignés, le poil brillant, ils entourent Pancho et lui font fête. On voit qu'ils ont confiance en lui.

— Ils savent même jouer au foot ! précise fièrement le jeune garçon. Vous allez voir ça ! Flic, va chercher le ballon !

Le petit chien s'élance, ventre à terre, vers la roulotte de Pancho. La porte est fermée, mais l'animal ne s'embarrasse pas pour si peu. Il se dresse sur ses pattes arrière et actionne la poignée d'un coup de museau ! Le battant s'ouvre d'un coup et Flic entre tranquillement. Il ne tarde pas à reparaître, poussant devant lui une balle, qui rebondit sur les marches de la caravane et roule sur l'herbe. Tous les fox-terriers se précipitent dessus, en jappant de toutes leurs forces. Ils font avancer l'objet avec leurs museaux par petits coups successifs d'un côté et de l'autre. Pancho, les jambes écartées, leur sert de cage de but. C'est un jeu très amusant à observer. Mais Bimbo meurt d'envie de jouer un tour à ces drôles de footballeurs. Il sait qu'il n'a pas le droit d'intervenir dans leur partie. Alors, il attend une occasion... Au moment où Flac réussit à marquer un but entre les jambes de Pancho, le chimpanzé s'empare du ballon et s'enfuit avec.

— Bimbo ! Reviens tout de suite ! ordonne son jeune maître.

Les chiens pourchassent le singe, en aboyant. Ils sont furieux d'avoir été interrompus dans leur match ! Le fauteur de trouble saute sur le toit d'une roulotte et se met à danser, en regardant les chiens d'un air moqueur. Pancho doit grimper à son tour pour reprendre la balle des pattes du chimpanzé. Celui-ci se dépêche de sauter de l'autre côté... François, Claude, Mick et Annie ne peuvent s'arrêter de rire.

Quand ils sont calmés, leur ami propose de leur montrer les chevaux. Non loin de là, dans un pré, un grand jeune homme appelé Rossy fait travailler une dizaine d'entre eux. Le voltigeur les monte sans selle, tour à tour. Les animaux au poil brillant lui obéissent remarquablement. Ils font des petits pas de côté, sautent des obstacles et exécutent de nombreuses pirouettes, pendant que le cavalier se tient en équilibre sur leur dos.

— Est-ce que tu veux bien me laisser monter Alezan ? demande Pancho.

Le voltigeur paraît hésiter.

— C'est bon, vas-y ! répond-il finalement.

Alors le garçon saute sur un superbe étalon aux longues pattes. Pendant que l'animal trotte autour du pré, Pancho pose ses mains sur le garrot, et commence tout doucement à soulever ses jambes pour s'agenouiller.

— Il va tomber ! murmure Annie.

Mais le jeune artiste se tient parfaitement en équilibre. Tout à coup, il prend appui sur ses paumes et projette ses jambes en l'air ! Il reste un bon moment dans cette position périlleuse, tandis qu'Alezan continue sa course.

— Bien ! le félicite Rossy. Maintenant, essaie un autre cheval !

Tonnerre est plus petit qu'Alezan, mais il paraît très nerveux. Pancho court vers lui et saute sur son dos. Le poney se cabre, hennit, tente de jeter l'écuyer à terre. Mais ce dernier tient bon. L'animal se met à trotter dans le pré. Puis il prend le galop, et soudain s'arrête net, tête baissée, espérant envoyer son cavalier rouler dans l'herbe !

Pancho s'attendait à cette ruse. Il se braque vers l'arrière au bon moment.

— Parfait ! crie Rossy, enthousiaste. Il te mangera bientôt dans la main !

— C'est incroyable ! commente Annie. Oh ! J'aimerais bien savoir en faire autant !

Pancho saute à terre, radieux. Il est fier de montrer ses talents. Il cherche Bimbo du regard.

— Où est mon singe ? demande-t-il, un peu inquiet. Il faut le retrouver ! On ne peut pas le laisser seul deux minutes sans qu'il fasse des bêtises...

chapitre 12

Un beau jour qui finit mal !

Ils ne tardent pas à retrouver le chimpanzé, qui se promène parmi les roulottes. Quand il voit Annie, il s'avance vers elle et lui glisse quelque chose dans la main. La fillette regarde le cadeau : c'est un œuf dur !

— Il a dû fouiller dans nos paniers ! s'amuse-t-elle. Allons voir !

En effet, il manque deux œufs et quelques tomates. Pancho donne une petite tape à son singe.

— Je vais t'enfermer dans ta cage, maintenant, gronde-t-il. Voilà tout ce que tu auras gagné !

Dès qu'il est enfermé, Bimbo se met à pleurer derrière ses barreaux. Annie est tout émue.

— Il pleure vraiment ? demande-t-elle. Pan-

85

cho, pardonne-lui ! Il ne savait pas qu'il faisait une bêtise !

— Tu crois ça ? Eh bien, tu te trompes ! réplique le jeune garçon. Il essaie encore une fois de nous rouler. Il ne pleure pas, il fait semblant ! Allez, venez, vous avez encore beaucoup de choses à découvrir !

La matinée passe vite. À midi, les visiteurs n'ont toujours pas vu les ouistitis.

— Je vous les montrerai plus tard, promet Pancho. Si on allait déjeuner au bord du lac ?

Tout le monde est d'accord.

— Où sont Dan et Carlos ? questionne François.

— Ils sont partis tôt ce matin. Je ne sais pas ce qu'ils font. Mon oncle disparaît souvent comme ça, surtout la nuit. Quand on voyage, c'est pareil. Parfois je me réveille et je m'aperçois que je suis tout seul dans la roulotte !

— Où crois-tu qu'il va ? s'étonne Claude.

— Aucune idée, répond Pancho en haussant les épaules. Et ça ne sert à rien de lui demander des explications ! Enfin... pour le moment on est tranquilles. Profitons-en !

Ils déballent leurs provisions au bord du lac, en se réjouissant que Bimbo n'ait pas tout mangé. Le soleil brille haut dans le ciel. Lorsqu'ils ont fini de déjeuner, Mick soupire :

— J'aimerais bien pouvoir aller nager tout de suite, mais maman dit qu'il ne faut pas se baigner juste après le repas. Alors je vais dormir un peu.

Ils font tous une petite sieste. Annie se réveille la première. Pancho s'est absenté pour aller chercher Bimbo et Titan l'éléphant.

— Eux aussi ils doivent avoir envie de se baigner, explique-t-il en revenant.

Les cinq enfants vont enfiler leurs maillots de bain derrière les buissons, puis ils s'avancent vers le rivage. L'eau du lac est très bonne. Le chimpanzé, frileux comme tous les singes, ne veut pas se tremper complètement. Il reste près du bord, là où l'eau, peu profonde, est tiédie par le soleil. Il éclabousse tout ce qui passe à sa portée.

L'éléphant barbote, tout heureux. Bimbo saute sur son dos et lui tire l'oreille. Titan plonge sa trompe dans l'eau, aspire fortement, et douche copieusement le petit singe ! Les enfants rient aux éclats, en voyant le chimpanzé tout mouillé !

— C'est bien fait pour toi ! lui crie Pancho. Hé ! Titan, tu as fini de m'arroser ?

Le pachyderme, satisfait de sa plaisanterie, ne veut plus s'arrêter. Les enfants se dépêchent de s'éloigner à la nage.

— Je ne me suis jamais autant amusée ! déclare Annie, après la baignade. Je vais passer toute la nuit à rêver de singes, d'éléphants, de chevaux et de chiens !

Pancho se livre à quelques acrobaties qui sont aussitôt imitées à la perfection par Bimbo. Mick et Claude essaient d'en faire autant, mais ils retombent maladroitement sur le sol. Pour les consoler, François va chercher des caramels. Il en donne un au chimpanzé. Celui-ci mord voracement dans le bonbon, et roule des yeux effarés en constatant qu'il ne peut plus ouvrir la bouche. Ses mâchoires restent collées ! Il s'assied, balance la tête d'un côté et de l'autre, en grognant. Heureusement, le caramel commence à fondre. Rassuré, le singe suce bruyamment ce qui reste. Quand Mick lui en présente un autre, il le refuse en tournant le dos.

Les enfants se promènent dans le camp. Pancho est fier de ses nouveaux amis. Le petit groupe arrive devant de gros camions recouverts de bâches qui portent l'enseigne du cirque.

— Quand on donne un spectacle, j'aide à sortir tous les fauteuils et les bancs qu'il y a là-dedans. Après, il faut les mettre en ordre sous le chapiteau. Ça fait du boulot, vous pouvez me croire ! Ah, voici la camionnette de Dan !

— Qu'est-ce qu'il transporte ? demande François.

— Son matériel d'acrobate, et d'autres choses... Mon oncle y met aussi des affaires à lui. Mais ils en font des mystères avec leur voiture ! Ils ne laissent personne en approcher. Une fois, j'ai essayé de voir ce qu'il y avait dedans, mais l'oncle Carlos m'a surpris et j'ai reçu une gifle !

Ensuite, ils vont voir le matériel de cirque, déballé pour la répétition : il y a des planches et des tabourets pour les animaux, des trapèzes, des cordes lisses, des monocycles... Mick aimerait bien examiner de plus près la table du magicien.

François regarde sa montre et s'aperçoit qu'il est sept heures.

— Je crois qu'il est temps de rentrer, déclare-t-il. Vous ne commencez pas à avoir faim ? Tu viens avec nous, Pancho ?

— Avec plaisir ! Je vais emmener Bimbo et mes deux chiens, comme ça, si je reste tard et qu'il fait nuit, ils sauront retrouver le chemin du camp !

Les enfants gravissent le sentier en silence, car ils commencent à se sentir fatigués. Tous réfléchissent au dîner qu'ils vont préparer : des sardines, du poulet froid, deux grosses boîtes de petits pois en conserve. Ce sera vite fait et nourrissant !

Ils entendent Dagobert aboyer au loin.

— On dirait qu'il est en colère ! remarque Mick. Pauvre Dago ! Il pense qu'on l'abandonne.

Quand ils arrivent près des roulottes, Dagobert fait la fête à Claude comme s'il ne l'avait pas vue depuis des mois. Flic et Flac sautent joyeusement autour de lui. Bimbo tire la queue du chien. Ce dernier paraît ne rien remarquer, ce qui vexe beaucoup le chimpanzé.

— Tiens ! Que mange Flac ? demande soudain Claude. De la viande crue ? Est-ce que par hasard le fermier serait passé et aurait laissé un morceau de bœuf pour Dagobert ? Et dans ce cas, pourquoi est-ce qu'il ne l'a pas mangé ?

Tout le monde observe le fox-terrier. Dagobert a l'air agité.

— C'est bizarre... commente François.

Soudain, ils comprennent. Flac lâche un aboiement rauque, se met à trembler de tout son corps, et tombe sur le flanc...

— Il est empoisonné ! crie Pancho.

D'un coup de pied, il éloigne Flic qui s'est approché du reste de viande.

— Je crois qu'il est en train de mourir ! murmure le garçon d'une voix angoissée.

Des larmes ruissellent sur les joues du jeune dresseur de chevaux. Il redescend le sentier, en portant son chien presque inerte, suivi de Flic et de Bimbo, qui semblent comprendre qu'il vient de se passer quelque chose de grave.

Le Club des Cinq, atterré, les regarde s'éloigner. De la viande empoisonnée ! Qui a pu faire ça ?

chapitre 13

Le plan de François

Claude s'assied par terre et prend son chien par le cou.

— Dago ! Cette viande t'était destinée ! C'est horrible ! Heureusement que tu as été assez malin pour ne pas y toucher ! Mon pauvre toutou, si tu l'avais mangée, tu aurais été empoisonné !

L'animal lèche les mains de Claude, puis la regarde d'un air sombre. Tout le monde pense au pauvre Flac... Est-il vraiment en train de mourir ?

— Je ne te laisserai plus jamais seul ! promet Claude en serrant contre elle son fidèle compagnon.

— Qui a pu apporter ce morceau de viande ? demande Annie d'une voix blanche.

— Tu n'as pas compris ? Il ne peut s'agir que de Dan et Carlos ! s'écrie sa cousine.

— Ils veulent absolument qu'on parte d'ici, murmure François. Mais pourquoi ? Qu'est-ce qu'il peut y avoir d'intéressant pour eux par ici ? On les gêne, c'est certain...

Personne n'a plus faim. Annie apporte quand même du pain, du beurre. Claude ne veut rien manger du tout. Elle est encore bouleversée.

Tous quatre se couchent de bonne heure. Ils ferment leurs roulottes à clef.

Vers une heure du matin, Dagobert se met à aboyer. François se lève, prend sa lampe de poche et inspecte les environs. Il ne voit rien d'anormal. Le chien se calme rapidement. Le jeune garçon retourne se coucher. Mais il a du mal à s'endormir. Il se demande pourquoi Dago a donné l'alerte : il ne crie jamais dans la nuit sans raison. Peut-être que Dan et Carlos se sont approchés des roulottes, dans l'obscurité. En entendant des aboiements, ils ont dû s'éloigner, furieux de constater que le chien n'était pas mort empoisonné.

« Mais pourquoi est-ce qu'ils veulent absolument nous obliger à partir ? » s'interroge François.

Il imagine un plan avant de s'endormir. Tout d'abord, il faudra laisser croire à Dan et à Car-

94

los qu'ils sont tous partis pour la journée, avec le chien. En réalité, lui, François, restera caché... Peut-être découvrira-t-il quelque chose ?

Le lendemain matin, le temps est plus frais et nuageux. Les enfants déjeunent sans entrain. Ils pensent à Pancho et au pauvre petit fox-terrier.

— Je vais aller à la ferme pour téléphoner à maman et papa, déclare Mick après avoir avalé sa dernière tartine.

Mme Monnier l'attend justement. Elle a mis de côté toutes sortes de bonnes choses pour les enfants : un saucisson, de la confiture, des fruits, une bouteille de limonade. Elle présente ses deux filles adoptives au jeune visiteur. Émilie et Caroline sont encore toutes petites. Elles savent à peine parler, mais elles gazouillent comme de petits oiseaux. La fermière les prend toutes les deux dans ses bras et leur demande de dire au revoir à Mick.

Au retour, le jeune garçon voit son frère lui faire signe de se dépêcher :

— Viens vite, dit François. Prends les jumelles et regarde le lac. Pancho est dans son bateau avec Bimbo. Je me demande ce qu'ils sont en train d'agiter !

95

Au pied de la montagne, tout là-bas, le petit canot flotte sur le lac.

— Un tissu rouge... commente Mick. Je ne vois pas bien ce que c'est. Mais à mon avis, la couleur rouge veut dire qu'il y a danger ! Notre copain essaie de nous mettre en garde !

— Il vaut mieux ne pas descendre au lac aujourd'hui, déclare François. Pourtant, on n'est pas en sécurité ici non plus. On ferait peut-être mieux d'aller installer nos roulottes ailleurs...

Le garçon ne pense pas vraiment ce qu'il dit. Au fond, il meurt d'envie d'éclaircir ce nouveau mystère.

— Je ne partirai pas ! décrète Claude. On ne va quand même pas se laisser impressionner par un clown et un acrobate !

Mick continue d'observer Pancho, jusqu'à ce que le jeune garçon et le chimpanzé regagnent le rivage.

François décide d'exposer aux autres le plan auquel il a pensé pendant la nuit :

— J'aimerais bien savoir ce qui attire Carlos et Dan dans ce coin. On les gêne, c'est clair. J'ai une idée. On va descendre au camp du cirque avec Dago. Arrivés là, on criera bien fort à Pancho : « On va *tous* passer la journée en ville ! » Il faudra être sûr que Dan et Carlos nous entendent. Ça leur donnera certainement envie de profiter de notre absence pour faire un tour ici... Trois d'entre nous iront vraiment en ville, avec Dago. Le dernier reviendra ici et se cachera... Alors il aura une chance de découvrir ce que veulent Dan et Carlos !

— C'est un peu risqué, mais ça me paraît être une bonne idée... commente Claude, déjà séduite par cette perspective.

— Oui, approuve Mick. Mais, surtout, celui qui restera caché ne devra pas se montrer ! Dagobert ne sera pas là pour le défendre. Bon, et maintenant : qui veut jouer les espions ?

— Moi, je veux bien le faire, dit François. Vous pouvez être sûrs que je me cacherai bien !

— C'est quand même dangereux. Imagine que ces deux types te trouvent... Pourquoi ne pas essayer de découvrir nous-mêmes ce qu'ils recherchent ? propose son frère.

— Mais on ne sait pas du tout ce dont il s'agit ! réplique François. On n'a aucune idée de ce qui peut les attirer ici.

— On pourrait fouiller partout autour de nous, suggère Claude. Qu'est-ce qu'on risque ? Peut-être qu'on va découvrir un indice intéressant !

Les enfants se séparent pour explorer les environs. Ils inspectent la roche dans l'espoir de dénicher une caverne dissimulée. Dagobert

97

s'occupe surtout des terriers. Il fourre son museau dedans, pour attraper les lapins. Au bout d'une demi-heure, François appelle ses compagnons. Ceux-ci croient qu'il vient de faire une découverte, mais ce n'est pas le cas. Il déclare qu'il en a assez de ces recherches inutiles, et qu'il abandonne.

— Il n'y a pas de cachette par ici, ajoute-t-il. Vous avez trouvé quelque chose d'intéressant ?

— Non, répondent les autres.

— Alors on met mon plan à exécution, décide François.

chapitre 14

Aux aguets

Ils partent avec Dagobert.

— On déjeunera tous les trois en ville, et on y restera toute la journée, dit Mick.

— Et toi, François, fais attention. Dan et Carlos sont peut-être dangereux, recommande Claude

— Ne t'inquiète pas. Je serai prudent.

En approchant du camp du cirque, ils entendent les aboiements des chiens et le barrissement de l'éléphant. Ils cherchent Pancho. Où peut-il bien être ? Les enfants commencent à s'inquiéter. Ils n'osent pas s'enfoncer trop loin dans le camp. François pense au morceau de tissu rouge que Pancho a brandi pour signaler un danger.

99

Mick met ses mains en cornet autour de sa bouche et appelle :

— Pancho ! Pancho !

Pas de réponse. Mais le cornac a entendu le cri de Mick. Il s'avance et demande :

— Vous voulez voir votre copain ? Je vais le chercher.

— Merci ! répondent les enfants.

L'homme s'éloigne en sifflant. Bientôt, le jeune dresseur de chevaux apparaît entre deux roulottes. Il est pâle et semble bouleversé. Il ne s'approche pas de ses amis, mais les regarde de loin, d'un air égaré.

— Pancho ! On va passer la journée en ville ! claironne François, le plus fort possible.

Carlos arrive soudain derrière Pancho. Mick prend immédiatement le relais de son frère :

— On va en ville, Pancho ! On ne rentrera que ce soir. Tu m'entends ? On ne sera pas là de la journée !

Le clown lance un regard noir en direction de la petite troupe. Puis il saisit son neveu par le bras et l'entraîne vers sa caravane.

— Comment va ton chien ? demande Claude, dans un dernier cri.

Mais Pancho et son oncle ont déjà disparu... C'est le dresseur d'éléphants qui répond :

— Le petit fox va mal. Il n'est pas encore

mort, mais je crois qu'il n'en a plus pour long-temps. Pauvre bête ! Votre ami a beaucoup de chagrin.

Les enfants s'éloignent avec Dago. Claude l'a tenu par le collier pendant la courte apparition de Carlos.

— Il a dit que Flac n'était pas mort, rappelle Annie. Peut-être qu'il guérira. Vous ne croyez pas ?

— Hum ! Je ne sais pas s'il y a beaucoup de chances qu'il s'en tire... Cette viande était bien empoisonnée, répond François d'un air sombre.

— C'est bizarre qu'il soit si méchant ! D'habitude, les clowns sont gais, ils font rire les enfants !

— Ils jouent leur rôle ; pour eux, faire des grimaces, c'est avant tout un métier, fait observer Mick.

Quand ils approchent de l'arrêt de bus, Claude se retourne pour voir si, par hasard, ils ne seraient pas suivis. Elle aperçoit de loin une silhouette qu'elle reconnaît.

— Dan l'acrobate nous observe ! dit-elle.

— C'est bon signe ! assure François. Seulement, je vais être obligé de monter avec vous dans le car qui conduit en ville. Tant pis ! Je descendrai au prochain arrêt, et de là je trou-

101

verai bien un chemin qui me ramènera vers les roulottes.

— Bonne idée ! s'exclame Mick, ravi à la pensée de jouer un bon tour à Dan. Dépêchons-nous ! Voilà le bus !

Ils se mettent à courir, et s'engouffrent dans le car. L'acrobate les surveille toujours. Les enfants prennent trois billets pour la ville et un pour le prochain arrêt. Quand le conducteur démarre. Mick a envie d'adresser un pied de nez à Dan, mais il se retient.

Dix minutes plus tard, le bus ralentit. Avant de descendre, François fait ses dernières recommandations :

— À ce soir ! Et vous aussi, soyez prudents en revenant de la ville.

— Ne t'inquiète pas pour nous, le rassure Claude. Quand on rentrera, on enverra Dagobert en éclaireur, au cas où Carlos et son complice se promèneraient encore autour des roulottes...

— Bonne idée. Allez, salut, et bonne chance !

François fait à pied, en sens inverse, une partie du trajet qu'il vient de parcourir en car. Puis il repère un chemin qui lui paraît grimper vers l'endroit où sont garées les roulottes : il s'y engage. Au bout de vingt minutes, il se demande s'il ne va pas s'égarer dans la montagne. Mais, très vite, il reconnaît les lieux : le sentier aboutit tout près de la ferme de M. et Mme Monnier. Après avoir rejoint les véhicules, le garçon prépare deux sandwichs au jambon, se sert un gros morceau de gâteau et une poignée de cerises. Il met le tout dans un sac plastique. Peut-être qu'il devra patienter longtemps, sans quitter son observatoire.

« Où est-ce que je vais me cacher, maintenant ? se demande François. Il faudrait trouver un endroit d'où je puisse tout voir. Dans un arbre ? Non, ces pins n'ont pas un feuillage assez épais. Au centre de ce buisson de genêts bien fournis ? »

François tente de traverser la broussaille, mais il s'écorche tellement les bras et les jambes qu'il abandonne vite cette idée.

« Il faut que je me décide, pense-t-il, sinon Dan et Carlos risquent d'arriver avant que je me sois caché ! »

Soudain, il a une idée, et se met à danser de joie.

« Je vais grimper sur le toit d'une des roulottes ! Personne ne me verra. Et de là-haut, je pourrai surveiller les environs ! »

Ce n'est pas facile d'atteindre un tel poste

d'observation. Heureusement, ce n'est pas trop haut : en se dressant sur le rebord d'une des fenêtres, François parvient à s'agripper à la toiture. Il se hisse de toutes ses forces. Quand il arrive sur le toit, il se couche à plat ventre. C'est sûr, personne ne peut le voir d'en bas.

François est aux aguets ; il observe le lac, la route, le sentier... Heureusement, le ciel est nuageux aujourd'hui. Par beau temps, il aurait rôti sur place ! Mais il regrette de ne pas avoir apporté d'eau. De son perchoir, le jeune garçon voit des volutes de fumée qui s'élèvent au-dessus du camp du cirque. Il aperçoit deux bateaux sur le lac, loin du bord. Des pêcheurs, sans doute. Il s'intéresse un moment à deux lapins qui sortent de leur terrier pour s'ébattre dans l'herbe.

Le soleil brille pendant une dizaine de minutes. François ne tarde pas à souffrir de la chaleur. Puis le ciel se couvre de nouveau. Soudain un sifflement se fait entendre. Le jeune espion se raidit, le cœur battant. Va-t-il voir surgir l'oncle de Pancho ou son comparse ? Non, il s'agit d'un employé agricole de M. Monnier...

François commence à s'ennuyer... Les lapins rentrent dans leur terrier. Il n'y a pas d'oiseaux dans les arbres, excepté un pivert très occupé à faire la chasse aux insectes. Soudain, l'oiseau s'interrompt, pousse un petit cri d'alarme et s'envole. Il a entendu un bruit qui l'a effrayé !

Le jeune garçon ouvre les yeux tout grands. Il aperçoit alors deux silhouettes qui gravissent le sentier. François n'ose plus lever la tête, de peur d'être vu. Mais très vite, il reconnaît les voix ! Pas de doute, il s'agit bien du sinistre clown et de l'étrange acrobate. François entend le timbre rauque de Carlos :

— C'est bon, il n'y a personne. Les gosses sont bien partis pour la journée, avec leur sale cabot !

— Je te l'ai dit, grogne Dan. Je les ai vus monter dans le car. On est enfin tranquilles...

— Allez, au boulot ! s'écrie Carlos.

François comprend que les deux hommes se dirigent vers les roulottes. Il n'ose pas regarder par-dessus le rebord du toit.

« Heureusement que j'ai fermé les portes à clef ! » pense-t-il.

Il entend des sons confus. Soudain, il ressent une violente secousse.

« Qu'est-ce qui se passe ? » se demande François, paniqué.

Il glisse au bord et jette un coup d'œil rapide par-dessus pour voir ce que fabriquent les deux hommes. Il ne voit personne. Peut-être Dan et Carlos se trouvent-ils de l'autre côté ? François

105

rampe doucement vers la gauche, tandis que la roulotte tremble toujours, comme si on donnait des coups dedans...

Personne de ce côté non plus.

« Alors, ils sont dessous ! pense-t-il. Mais pourquoi ? »

Le jeune garçon décide de se tenir tranquille et d'attendre. Il entend des grognements, des « han ! », et devine que Carlos et Dan ont entrepris de creuser la terre sous la caravane... Les bruits cessent, et les deux hommes semblent se remettre debout.

— Donne-moi une cigarette ! ordonne Dan sèchement. J'en ai assez ! On n'y arrivera pas sans déplacer la roulotte. Ah ! Pourquoi ces gosses sont-ils venus se fourrer là ?

François entend craquer une allumette. Il sent l'odeur âcre du tabac.

Mais tout à coup, il éprouve une grande frayeur : la caravane se met lentement en mouvement et roule vers le rebord qui surplombe la pente abrupte. Carlos et son complice vontils la faire basculer et l'envoyer s'écraser au pied de la montagne ?

chapitre 15

Les événements se précipitent

François se demande s'il ne ferait pas mieux de tenter de s'enfuir. Si la roulotte dévale la pente, il n'aura aucune chance de s'en sortir vivant ! Mais le garçon est figé par la peur. Il s'accroche désespérément à la toiture, pendant que Dan et Carlos poussent de toutes leurs forces.

La caravane est maintenant tellement près du bord que François voit sous lui le chemin de traverse qui descend vers le lac. Il sent la sueur perler sur son front et constate que ses mains tremblent.

— Arrête ! hurle soudain Dan. N'envoie pas la guimbarde par-dessus bord !

François se sent revivre. Les deux bandits n'ont donc pas l'intention de détruire la rou-

107

lotte, ils veulent seulement la déplacer ! Après avoir repris ses esprits, le jeune espion essaie de se rappeler l'état du sol au moment de leur arrivée. Il ne se souvient que d'un tapis de bruyère.

On entend un faible murmure. Puis c'est le silence. Un silence total...

François reste un bon moment sans bouger. Sans doute les hommes sont-ils encore là. Il attend longtemps, intrigué... Un rouge-gorge vient se poser sur une branche, tout près de la roulotte. Puis deux lapins s'aventurent hors de leur terrier et gambadent jusqu'aux abords de la gorge.

« Il n'y a pas de doute, les hommes ne sont plus là. Sinon les animaux se méfieraient. Dan et Carlos ont dû partir... mais où ? »

François se tourne doucement et regarde par-dessus le toit. Il ne voit rien d'autre que la bruyère qui pousse là en abondance...

« Je rêve, ou quoi ? se demande-t-il. On dirait qu'ils se sont volatilisés ! J'ai bien envie de descendre, mais ce ne serait pas prudent. Peut-être qu'ils vont revenir... »

Le jeune garçon reste donc sur son toit. Tout à coup il se rend compte qu'il a faim et soif. Heureusement qu'il a apporté des provisions ! Au moins, il ne mourra pas de faim en attendant le retour des deux hommes ! Il avale ses sandwichs, sa part de gâteau et s'attaque aux cerises, qui le rafraîchissent un peu. Le soleil recommence à briller. La chaleur devient presque insupportable.

« Je voudrais tellement descendre ! J'en ai assez... J'ai sommeil... »

Il bâille silencieusement et ferme les yeux malgré lui... Il s'assoupit.

Soudain, la roulotte est violemment secouée. François, subitement réveillé, s'accroche à la toiture. Son cœur bat très fort. Mais il se rend vite compte que Dan et Carlos sont seulement en train de remettre le véhicule à son ancienne place. À nouveau, la fumée d'une cigarette s'élève en fines volutes.

Les deux complices vont s'asseoir sur la petite terrasse en pierre. Ils s'y installent pour déjeuner. François n'ose pas les regarder, de peur d'être repéré. Dan et Carlos discutent à voix basse tout en mangeant. Puis ils s'endorment lourdement. On peut entendre leurs ronflements sonores.

« Est-ce que je vais devoir rester toute la journée là-haut ? se demande-t-il. Si, au moins, je pouvais m'asseoir ! »

Au bout d'un moment, il n'y tient plus. Certain que Dan et Carlos sont profondément

109

assoupis, il s'assied et s'étire. Le clown et l'acrobate sont allongés sur le dos. Soudain, François tressaille violemment, car il vient d'apercevoir une figure étrange qui émerge d'un buisson de ronces ! Il s'agit d'une face très ronde, avec un nez aplati et une bouche énorme...

Mais le garçon se rassure aussitôt : il vient de reconnaître Bimbo, le chimpanzé ! Et, juste à côté de ce dernier, il voit apparaître un visage aux yeux gonflés de larmes. C'est Pancho. De là où il est, le jeune dresseur de chevaux ne peut pas voir les deux hommes allongés sur le sol. François est immédiatement saisi d'une nouvelle inquiétude. Que se passera-t-il si Carlos se réveille et aperçoit son neveu ? Il pensera que ce dernier est venu l'espionner. François ne sait que faire : s'il appelle son ami pour le prévenir qu'il y a danger, il réveillera les dormeurs...

Le sang du jeune garçon se glace quand il voit Pancho se rapprocher du coin de roc où somnolent le clown et l'acrobate !

— Attention ! lance François d'une voix étouffée.

Mais c'est trop tard. Le dresseur de chevaux ne se tient plus qu'à un mètre de son oncle !

110

Ce dernier se lève d'un bond et saisit son neveu par le bras. Dan, à son tour, ouvre les yeux.

— D'où il sort, celui-là ? demande l'acrobate d'une voix pâteuse.

Le pauvre garçon se met à trembler et à supplier :

— Je ne savais pas que vous étiez ici ! Laissez-moi partir ! Je suis venu pour chercher mon canif que j'ai perdu hier !

Carlos le secoue sauvagement.

— Depuis combien de temps tu nous espionnes, hein ?

— Ce n'est pas du tout ça. Je viens d'arriver. Je suis resté au camp toute la matinée, tu peux demander à Rossy !

François voudrait trouver un moyen de venir en aide à son ami. Il sait pourtant que, s'il révèle sa présence, les deux hommes comprendront tout de suite qu'il s'est caché pour les surprendre... Et qui sait comment ils réagiront ?

« On verra bien ce qui se passe ! » pense-t-il.

Mais, au moment où François s'apprête à sauter du toit, une ombre surgit et un grognement terrible se fait entendre. Deux longs bras s'enroulent autour de Carlos. C'est Bimbo ! Le chimpanzé a tout observé de ses yeux perçants. Il est resté caché derrière son buisson, car il craint les deux hommes. Mais dès qu'il a perçu le désespoir de Pancho, il a bondi. Il mord la jambe de l'acrobate et griffe la main du clown. Tous deux hurlent de douleur. Carlos parvient à se libérer de l'assaillant et, épouvanté, s'enfuit à toutes jambes en direction du camp du cirque. Dan s'exclame :

— Pancho ! Rappelle ton singe ! Il va me déchiqueter le mollet !

— Bimbo ! Arrête ! Bimbo, viens ici ! crie Pancho.

Le singe regarde son maître d'un air surpris. « Quoi ! semble-t-il dire. Tu ne veux pas que je punisse ce méchant homme ? Il le mériterait bien, pourtant ! »

Le chimpanzé abandonne l'acrobate à regret. Ce dernier décampe à son tour, et dévale la montagne comme si une centaine de monstres enragés le poursuivaient !

Le jeune dresseur de chevaux s'assied, tout tremblant. Bimbo, qui se demande si son ami est fâché, s'approche doucement de lui, et pose sa main velue sur le genou du garçon. Pancho passe son bras autour du cou de son sauveur, qui manifeste sa joie par une mimique affectueuse.

François descend du toit de la roulotte en se

laissant glisser le long de la paroi. Il va s'agenouiller auprès de son compagnon.

— Je voulais te venir en aide, mais Bimbo
m'a devancé, explique-t-il.

Le visage de Pancho s'éclaire soudain.

— C'est vrai ? Tu es un bon copain ! Et ça,
c'est la plus belle des qualités ! déclare-t-il.

François rougit de plaisir. Il est très fier du
compliment !

chapitre 16

Une surprenante découverte

— Écoute ! Quelqu'un approche ! dit Pancho.

Bimbo pousse un grognement. On entend des voix au loin, dans le chemin. Puis un chien aboie.

— C'est Dago ! s'exclame François.

Il se lève et crie :

— Tout va bien ! Venez !

Claude, Dagobert, Mick et Annie arrivent en courant.

— Salut ! fait Mick. On a aperçu Dan et Carlos. Ils couraient à toute allure... Tiens, Bimbo ! Toi aussi, tu es là ?

Le singe serre la main du jeune garçon, et tente de tirer la queue de Dagobert. Mais celui-ci ne se laisse pas faire. Puis, le chim-

115

panzé court vers Annie : il essaie de « discuter » avec elle, mais la fillette ne comprend pas son langage.

— J'ai l'impression qu'il s'est passé quelque chose... dit-elle. Dan et Carlos sont venus ici, pas vrai ?

— Oui. Et j'ai du nouveau à vous apprendre ! Mais d'abord, j'ai besoin de boire ! Claude, tu pourrais aller chercher une bouteille de limonade dans votre roulotte ?

— J'y vais tout de suite. On a tous très soif.

Tandis qu'ils se rafraîchissent, François raconte comment il s'est caché sur le toit de la roulotte, et ce qu'il a ensuite surpris. Tous l'écoutent avec attention. Quelle histoire ! Puis c'est au tour de Pancho de prendre la parole :

— J'ai failli tout gâcher en arrivant pendant que mon oncle et Dan dormaient ! explique-t-il. J'étais venu vous prévenir : ils ont juré de tuer Dagobert en l'empoisonnant !

— Qu'ils essayent un peu pour voir ! s'exclame Claude, d'un air de défi.

Elle serre son chien contre elle.

— Et puis, ils ont dit aussi qu'ils mettraient le feu à vos caravanes, poursuit le jeune dresseur de chevaux.

Les quatre enfants le regardent, horrifiés.

— Ils ne feraient quand même pas une chose pareille..., murmure Annie.

— Je vous répète ce que j'ai entendu, déclare Pancho. Vous ne savez pas de quoi ils sont capables ! Déjà ils ont tenté de tuer Dagobert, et c'est le pauvre Flac qui...

Sa phrase finit dans un gros sanglot.

— Est-ce que... ton chien va mieux ? demande Annie, la gorge serrée.

— Non, répond le garçon, quand il peut de nouveau parler. Il va mourir, c'est sûr ! J'ai mis Flic avec les autres chiens. Comme ça, il ne risque rien !

Pancho regarde ses amis d'un air désespéré. Ses lèvres tremblent.

— Je n'ose pas rentrer au camp, avoue-t-il à voix basse.

— Reste avec nous, propose Claude. C'est vraiment sympa de ta part d'être venu nous prévenir. On va tous te soutenir !

Ils finissent leur limonade.

— Maintenant, si on explorait un peu le coin ? propose Mick. On découvrira peut-être où Dan et Carlos sont allés. Qu'est-ce que vous en pensez ?

— Bonne idée ! répond Claude. On va regarder sous la roulotte, pour commencer !

— D'accord, dit François. Toi, Pancho, il

117

vaut mieux que tu restes ici pour surveiller les environs, au cas où Dan et Carlos reviendraient.

— Pourquoi moi ? Je veux aussi participer aux recherches ! Dagobert aboiera s'ils arrivent ! Laissez-moi venir avec vous !

Tous cinq se glissent donc sous la caravane, dans l'espoir de découvrir un indice... Mais ils s'aperçoivent aussitôt qu'ils sont trop à l'étroit, et comprennent pourquoi le clown et l'acrobate ont dû dégager l'emplacement. Tout le monde pousse le lourd véhicule, y compris Bimbo. Puis ils commencent à arracher la bruyère. Ils se rendent compte que les racines ont déjà été déterrées. Les enfants déblaient environ un mètre carré.

— Qu'est-ce que c'est que ça ? s'écrie Mick.

Tous restent interdits.

— Des planches de bois... murmure Pancho.

Ils retirent les lattes l'une après l'autre, et découvrent qu'elles masquent un trou dans la terre.

— Je vais chercher ma lampe de poche, annonce François.

— Il doit y avoir quelque chose d'intéressant là-dessous, commente Claude, qui ne tient plus en place. Quand on pense qu'on a justement garé l'une de nos roulottes au-dessus !

— À tous les coups, c'est la cachette de Dan

118

et Carlos ! Je comprends mieux pourquoi ils nous ont demandé de changer d'endroit et de retourner camper près du lac ! ajoute Mick.

François revient avec sa lampe torche. Il éclaire le large trou qui s'enfonce sous terre. Sur l'une des parois, il y a des crampons qui forment une sorte d'échelle.

— Où est-ce que ça peut bien conduire ?

Tout à coup, Bimbo se jette à l'intérieur de la cavité. D'une main agile, il s'agrippe au premier crampon, et commence à descendre lestement. Il regarde les enfants d'un air malicieux avant de disparaître complètement.

— Hé, Bimbo ! Ne t'avance pas là-dedans ! s'écrie son jeune maître. Il va peut-être se perdre ! On ne sait pas ce qu'il y a en bas. Je vais le chercher ! Prêtez-moi la lampe de poche !

— On vient avec toi, déclare Claude. Mais il nous faut la seconde torche électrique !

— Je l'ai cassée, avoue Annie d'un air piteux. Elle est tombée par terre ce matin quand j'ai refait mon lit...

— Zut ! s'exclame sa cousine. On ne peut pas explorer ce souterrain avec une seule lampe ! Bon, la priorité, pour l'instant, c'est de retrouver Bimbo. Pancho, je t'accompagne !

François, Mick et Annie regardent leurs deux

119

compagnons disparaître dans les profondeurs de la terre. Ils les entendent appeler :

— Bimbo ! Bimbo ! Viens ici !

Quand ils atteignent le fond du trou, Claude et Pancho aperçoivent un passage étroit. C'est là que s'est réfugié Bimbo. Le singe a peur du noir et n'est donc pas parti bien loin. Le passage donne sur une petite caverne. Intrigué, le jeune dresseur de chevaux inspecte soigneusement la grotte, mais ne trouve rien d'intéressant. Soudain, sur une paroi, il remarque d'autres crampons qui mènent à un trou dans la voûte.

— Passons par là ! décide Claude, très excitée par cette découverte.

— Attends ! l'interrompt Pancho. La lampe éclaire de moins en moins.

— C'est vrai ! constate la fillette, soudain inquiète.

Elle secoue l'appareil, mais la pile doit être usée, car la lumière faiblit encore...

— Il vaut mieux sortir en vitesse ! décide le dresseur de chevaux. Je n'ai pas envie de me retrouver dans le noir.

Il prend Bimbo par la main, et attrape le pull de son amie. Il ne veut perdre aucun de ses deux compagnons. À peine sont-ils arrivés dans le passage que la lampe s'éteint complètement.

Maintenant, ils doivent avancer à tâtons... Heureusement, tout se passe bien. Claude retrouve les crampons et remonte prudemment. Quand elle aperçoit, au-dessus d'elle, le reflet du jour, elle se sent mieux. Pancho la suit de près.

— Nous voilà ! s'écrie la fillette. Ma lampe de poche s'est éteinte. On n'a pas pu aller très loin, mais on a retrouvé Bimbo. C'est l'essentiel !

Quand ils sont tous trois sortis du trou, les deux explorateurs racontent leur aventure.

— Demain, conclut Mick, on ira en ville acheter des torches électriques. Et on fera tous ensemble une grande exploration du souterrain !

chapitre 17

Carlos et Dan reviennent !

Personne ne dérange les enfants cette nuit-là. Dagobert n'aboie pas une seule fois. Pancho dort sur un amas de vêtements dans la roulotte des garçons, Bimbo à côté de lui. Le chimpanzé paraît enchanté de rester en compagnie du Club des Cinq.

Le lendemain matin, après le petit déjeuner, les jeunes explorateurs discutent longuement avant de décider qui ira acheter des lampes de poche.

— Je crois que je préfère rester ici avec Bimbo, dit Pancho.

— Et moi, je vous tiendrai compagnie à tous les deux, ajoute Mick. François, tu n'as qu'à aller en ville avec les filles. Emmenez Dago avec vous, ça lui fera une petite promenade.

123

Claude, Dagobert, Annie et François descendent le sentier. Le chien court en tête. Bimbo monte sur le toit d'une des roulottes pour les voir s'éloigner, pendant que Mick et Pancho s'asseyent au soleil.

— J'espère que M. Gorgio, le directeur du cirque, ne s'inquiète pas trop de mon absence. J'ai peur qu'il demande à quelqu'un de venir me chercher... Dans ce cas, c'est sûr qu'il enverra mon oncle.

Pancho a raison. Carlos et son comparse sont en route pour ramener le jeune dresseur de chevaux au camp. Ils arrivent en rampant dans la bruyère. Ils craignent d'être repérés par Dagobert et Bimbo ! En effet, ce dernier les flaire de loin ; il avertit Pancho par une grimace. Le jeune garçon pâlit.

— Va te cacher dans une des roulottes, conseille Mick, à voix basse. Moi, je les attends de pied ferme ! Bimbo viendra à mon secours si c'est nécessaire.

Son ami disparaît dans la roulotte verte et verrouille la porte. Dan et Carlos s'approchent. Ils voient Mick, mais ne remarquent pas Bimbo ; ils cherchent des yeux les autres enfants.

— Qu'est-ce que vous voulez ? demande le jeune garçon.

— On cherche Pancho et Bimbo ! répond l'acrobate en fronçant les sourcils. Ils sont où ?

— Ils veulent rester avec nous, affirme Mick, déterminé.

— C'est hors de question ! réplique Carlos d'un ton tranchant. Je suis responsable de cet enfant, depuis la mort de ses parents. Je suis son oncle !

— Arrêtez de mentir ! Pancho nous a tout raconté ! rétorque Mick.

L'homme devient tout rouge. Il semble prêt à envoyer le jeune garçon rouler jusqu'au bas de la montagne !

— Fais attention à ce que tu dis ! s'énerve-t-il.

— Vous feriez mieux de partir tout de suite, poursuit Mick d'un ton calme.

— Où est mon neveu ? demande le clown, poings crispés.

Le garçon ne répond pas. Carlos se dirige alors vers les roulottes.

— Je saurai bien le trouver ! ricane-t-il. Tu vas voir ça !

Dès qu'il comprend que Pancho est de nouveau menacé, Bimbo bondit, et griffe l'homme au visage. Le chimpanzé lance des cris terrifiants. Carlos perd son sang-froid.

125

— Dégage ! Sale bête ! Au secours !

Mais Bimbo n'a pas l'intention de lâcher sa proie. Il lui tire les cheveux et les oreilles. L'homme tombe lourdement par terre. Dan, qui a assisté à toute la scène, s'enfuit, effrayé. Dès qu'il se relève, Carlos s'éloigne à son tour en proférant des injures. Bimbo les pourchasse tous les deux, ravi de leur faire peur. Puis il revient, l'air satisfait. Il se dirige vers la roulotte verte, tandis que Mick crie à Pancho :

— Tout va bien ! Ils sont partis ! Ton singe et moi, on a gagné la bataille !

Le dresseur de chevaux les rejoint aussitôt.

— Tu n'as pas eu trop peur ? demande-t-il.

— Oh ! Tu sais, on a déjà eu affaire à des types qui ne valaient pas mieux ! Pendant nos dernières vacances, on a vécu une aventure... Tu ne me croiras jamais !

— Raconte-la-moi ! supplie Pancho. On a le temps, les autres ne vont pas revenir avant un bon moment !

Pendant deux heures, Mick parle des précédentes enquêtes du Club des Cinq. Son compagnon a l'air passionné. Tout à coup, ils entendent Dagobert aboyer en bas du chemin. C'est Claude qui apparaît la première, avec son chien.

— Quand on est descendus du bus, on a vu Dan et Carlos qui attendaient pour monter dedans ! Ils portaient des bagages ! Ils quittent peut-être la région ? Ce serait une bonne nouvelle !

Le visage de Pancho s'éclaire :

— Des bagages ? Tu as raison, ils ont dû abandonner le cirque...

François et Annie arrivent à leur tour. Leur frère raconte la visite des deux hommes :

— Bimbo les a chassés. Ils ont été obligés de se sauver en courant. Ils avaient l'air terrifiés. Après, ils ont dû aller au camp pour faire leurs sacs et partir ! Bon débarras !

En entendant ces mots, le jeune dresseur de chevaux prend son singe dans ses bras.

— Bimbo ! Ils vont enfin nous laisser tranquilles !

— Eh bien, nous, on a acheté de belles lampes de poche, déclare Claude. Il y en a une pour chacun de nous !

Bimbo tend la main vers la fillette, exigeant sa propre torche électrique.

— Désolée, mais je n'en ai pas pour toi, mon vieux ! On n'a pas pensé à t'en acheter une...

— Heureusement ! intervient Pancho. Il

127

aurait passé la journée à l'allumer et à l'éteindre jusqu'à ce que la pile soit usée !

— Je pourrais lui donner ma vieille lampe, propose Claude. Je suis sûre que ça l'amuserait tout autant !

En effet, Bimbo a l'air ravi du cadeau. Il actionne le petit interrupteur et cherche partout le rayon de lumière ! Les enfants rient aux larmes. Le singe est toujours heureux de les distraire. Il danse de joie.

— Maintenant que Dan et Carlos sont loin, on pourrait aller explorer le souterrain, propose François, quand les rires se sont calmés. Qu'est-ce que vous en pensez ?

— Oh ! Oui. Allons-y ! s'exclame Claude.

— Hum ! fait Mick. Moi, j'aimerais bien manger un peu avant de partir à l'aventure. Il est quand même une heure et demie !

Tout le monde se range à cet avis. Les enfants se contentent d'un repas simple car ils sont pressés de partir en expédition.

— On n'a qu'à emporter notre goûter avec nous, suggère François lorsqu'ils ont terminé. On reviendra peut-être très tard !

— Ce sera marrant de manger dans le souterrain ! fait remarquer Annie. Je vais mettre du beurre, de la confiture et un pain dans un sac

128

à dos. Est-ce qu'il faut emporter une bouteille d'eau ?

— Non, pas la peine. Il vaut mieux emporter seulement de quoi reprendre des forces en cas de besoin, répond Claude.

François saisit le sac à dos. Au dernier moment, Annie y glisse une grosse tablette de chocolat. Pour dégager l'ouverture du souterrain, les cinq enfants doivent une fois de plus pousser la roulotte. Les garçons retirent les planches. Dès que Bimbo voit le grand trou noir, il recule, effrayé.

— Il se souvient qu'il fait sombre là-dedans, et il n'aime pas ça, explique Pancho. Allez, viens, Bimbo ! Tout ira bien, cette fois. On a de quoi éclairer le souterrain !

Mais rien ne peut convaincre le chimpanzé d'entrer dans le trou. Il se met à pleurer comme un bébé quand son maître veut l'y obliger.

— Ça ne sert à rien d'insister, conclut François.

— Dans ce cas, je vais l'attacher à une roue, pour qu'il ne se sauve pas ! Il n'aura qu'à attendre mon retour.

En le quittant, Pancho dit à son singe :

— Sois sage, Bimbo. Voilà un seau d'eau ; comme ça, tu pourras boire quand tu auras soif. On revient bientôt !

L'animal les regarde disparaître sous terre, un à un. Il se sent tout triste, mais pour rien au monde il ne les suivrait. Le Club des Cinq et son ami Pancho sont maintenant en route vers une nouvelle aventure !

chapitre 18

Dans le souterrain

Tous les enfants portent de gros pulls. Ils ont prévu qu'il ferait froid dans le souterrain. Mick en a prêté un à Pancho. Ils arrivent dans la petite caverne. Claude éclaire les parois et montre aux autres les crampons qui permettent de monter jusqu'au trou dans la voûte.

— Je vais passer la première, déclare la fillette. J'ai hâte de voir où ça mène !

Elle commence à grimper tout doucement le long de la paroi. Arrivée en haut, elle passe la tête par l'ouverture et ne peut retenir un cri d'étonnement :

— Oh ! C'est une autre grotte, bien plus grande, et les murs brillent comme s'ils étaient phosphorescents !

Elle se hisse hors du trou, se met debout, et

fait quelques pas. Elle éteint sa lampe. La lumière phosphorescente que dégage la roche est presque suffisante pour y voir clair ! L'un après l'autre, les enfants grimpent dans cette étonnante caverne. Mick et François ont du mal à soulever Dagobert jusqu'à l'ouverture, mais ils finissent par y arriver. Le chien jette autour de lui un regard inquiet. Claude le caresse pour le rassurer.

Annie, abasourdie par le spectacle qui s'offre à ses yeux, demande à François :

— Tu crois qu'on est dans la cachette de Dan et Carlos ?

— Explorons le lieu, on verra bien ! répond son frère.

Les cinq enfants examinent attentivement tous les creux du roc. Ils ne trouvent rien. Tout à coup, François, pousse une exclamation :

— Tiens, un mégot ! Ça prouve que nos bonshommes sont venus jusqu'ici !

— Et regardez, juste au-dessus ! ajoute Pancho en s'approchant du mur. Il y a un grand trou au milieu de cette paroi. C'est sûrement un autre passage...

La petite troupe se met en file indienne et se glisse à travers l'ouverture.

— Ils sont bien passés par là ! s'écrie triomphalement François. Il y a une allumette par terre !

Ce nouveau passage est très étroit, il faut avancer courbé. Pancho explique à ses amis qu'il s'agit certainement du lit d'un ancien cours d'eau souterrain. En effet, le sol est lisse et poli comme si un torrent avait coulé dessus pendant des années.

Le tunnel se prolonge assez loin. Annie se demande quand on en verra le bout. François remarque soudain que la grotte, sur sa gauche, se creuse profondément. Il lâche un cri de triomphe :

— Ça y est ! On a trouvé ! Regardez tout ce qu'il y a ici !

Les autres enfants se pressent autour du garçon... Ils voient, posés au pied de la paroi rocheuse, des sacs, des coffres, de vieilles valises...

— Je me demande ce qu'il y a dedans ! s'exclame Pancho, qui ne tient plus en place.

Il pose sa lampe de poche par terre et défait le cordon d'un des gros sacs. Il y plonge la main et ressort une assiette en or !

— Qu'est-ce que c'est beau ! s'émerveille-t-il, éberlué. On dirait qu'ils ont volé la vaisselle d'un roi !

Le sac est rempli d'objets de grande valeur :

des plats en porcelaine fine, des petits plateaux d'or fin, des couverts en argent massif. Les enfants les étalent sur le sol.

— Dan et Carlos sont des cambrioleurs de grande classe, remarque François, pensif. Il n'y a aucun doute là-dessus. Vous avez regardé dans cette boîte ?

Le coffret en question n'est pas fermé à clef. Mick en soulève le couvercle. À l'intérieur repose un superbe vase de Chine.

— Je ne m'y connais pas en porcelaine, murmure Claude, mais je suis sûre que c'est une pièce très rare... Ça doit coûter un prix fou !

Annie, de son côté, fouille dans un sac d'où elle extrait des écrins de cuir.

— Regardez ! s'écrie-t-elle. Des bijoux !

Les enfants retiennent leur respiration tant ils sont surpris. Des diamants et des rubis projettent leur éclat sur les murs de la caverne. Il y a des bagues, des broches, des colliers, des bracelets, ornés des plus belles pierres...

Dans une petite boîte, Annie trouve un diadème serti de saphirs. Elle le pose sur sa tête.

— Je suis une princesse ! Voici ma couronne ! dit-elle en riant.

— Ça te va bien ! remarque Pancho, admiratif.

Annie retire l'ornement et le replace soigneusement dans son écrin.

— Je n'arrive pas à y croire ! souffle François. Dan et Carlos ne sont vraiment pas des cambrioleurs ordinaires. C'est difficile de voler des objets aussi précieux : ils sont généralement bien gardés. Il faut être un excellent acrobate pour réussir à escalader les murs, monter sur les toits et s'introduire dans les maisons par les fenêtres sans jamais être repéré !

— C'est vrai que Dan est capable de grimper au mur d'une maison en s'accrochant à du lierre, à des gouttières, à n'importe quoi ! ajoute Pancho. Et il saute comme un chat ! Je comprends pourquoi mon oncle l'a pris comme complice ! Le mystère de la camionnette s'explique aussi : au cours de leurs voyages, quand ils entendaient parler de bijoux ou d'objets d'art de grande valeur, ils préparaient leur coup, et ils rapportaient les marchandises volées dans cette voiture que je vous ai montrée. Vous vous souvenez, je vous ai raconté que mon oncle était furieux le jour où il m'a surpris en train de fouiller dedans. Maintenant je sais pourquoi : c'est là qu'il gardait ces objets volés en attendant de les apporter ici !

— Pas bête, leur plan ! reconnaît Mick. Je

135

me demande comment ils ont découvert ce souterrain dans la montagne.

— C'est quand même une drôle de coïncidence qu'on soit venus mettre nos roulottes juste au-dessus ! constate Claude.

— Qu'est-ce qu'on fait, maintenant ? demande Annie.

— À mon avis, il faut avertir la police, répond François.

Les enfants remettent tout en place, avec le plus grand soin. Mick éclaire le passage qui se prolonge devant eux.

— Vous voulez continuer l'exploration ? Je serais curieux de savoir jusqu'où va ce passage. Il y a peut-être d'autres belles grottes qui...

— Non, je préfère qu'on sorte d'ici, l'interrompt Pancho, qui se sent mal à l'aise. On en a assez vu ! J'aime mieux aller respirer dehors.

— On va seulement voir où conduit cette galerie, insiste Claude. Ça prendra deux minutes !

— D'accord, approuve François, qui ne demande pas mieux.

Il marche en tête, éclairant devant lui. Le passage aboutit à une autre caverne, beaucoup moins grande que la précédente. Au fond, quelque chose brille d'un éclat argenté. On entend un faible bruit, que les enfants n'identifient pas tout de suite.

— Qu'est-ce que c'est ? demande Annie, inquiète.

— De l'eau, répond Pancho. Écoutez-la couler !

— Tu as raison, admet François. C'est une source qui coule dans la montagne.

— Il vaut mieux sortir d'ici, répète le jeune dresseur de chevaux. Je veux aller retrouver Bimbo. Il doit s'ennuyer ! Et puis, j'ai froid. On sera tellement mieux, là-haut... On goûtera au soleil... Je n'ai pas du tout envie de manger ici !

— Moi non plus, avoue Annie.

Ils rebroussent chemin. Sans s'arrêter, ils jettent un regard sur les sacs et les valises qui contiennent les objets précieux entreposés là par Dan et Carlos. Puis ils retraversent la grotte phosphorescente et descendent par le trou dans le sol qui communique avec la première petite caverne.

François et Mick aident Dagobert à descendre. Ce n'est pas une mince affaire... Ensuite, les enfants prennent le tunnel qui doit les ramener sous les roulottes. Ils sont tous bien contents de penser qu'il vont bientôt revoir le soleil.

137

— C'est bizarre, je ne vois pas la lumière du jour au-dessus de ma tête, remarque Mick. Pourtant...

Il se dépêche de gravir les crampons accrochés le long de la paroi. Où donc est la sortie ? Soudain, il distingue des planches, là-haut, et son sang se glace...

— On ne peut pas ressortir ! s'écrie-t-il. Quelqu'un a rebouché l'ouverture avec les planches et a sans doute replacé la roulotte dessus... On est prisonniers !

Les enfants échangent des regards désespérés.

— Qu'est-ce qu'on va faire ? demande Claude. Il faut trouver quelque chose !

chapitre 19

Prisonniers du souterrain !

Personne ne répond. Chacun des enfants s'en veut de ne pas avoir prévu une telle éventualité. Pourquoi se sont-ils persuadés que les deux malfrats quittaient la région ? Il est vrai que Dan et Carlos sont montés dans le bus avec des bagages, mais ça ne prouvait rien ! Les valises contenaient peut-être des objets volés qu'ils allaient déposer chez un complice chargé de les écouler...

— Ils ont dû revenir pour essayer encore une fois de récupérer Pancho et Bimbo, conclut enfin François. Qu'est-ce qu'on a été bêtes ! Bon, je vais essayer de pousser les planches...

Malheureusement, en équilibre sur des crampons, ce n'est pas évident. Mick le soutient comme il peut. Son frère réussit enfin à écarter certaines lattes de bois, mais, comme il le craignait, la roulotte a été replacée juste au-dessus. Il n'y a aucun moyen de sortir...

— Si Bimbo est encore là, il pourra peut-être nous aider ! dit-il. Bimbo ! Bimbo !

Les autres se tiennent immobiles, retenant leur souffle, tendant l'oreille. Hélas ! Bimbo ne donne pas signe de vie... Pancho siffle le plus fort possible. Mais seul le silence répond à ses appels.

— Il lui est arrivé quelque chose, annonce le dresseur de chevaux, bouleversé.

C'est vrai. Le pauvre Bimbo se trouve pourtant tout près de l'entrée du souterrain. Mais il gît sur le côté et sa tête saigne. Impossible pour lui de venir au secours des enfants. Il a perdu connaissance...

Désormais, il n'y a plus l'ombre d'un doute : Dan et Carlos sont bien revenus. En approchant des roulottes, ils se sont mis à crier :

— Pancho ! Viens ! On ne te fera pas de mal. Montre-toi raisonnable et reviens au camp. M. Gorgio te réclame !

Sans réponse, les deux hommes se sont approchés davantage. Ils voient Bimbo, qui grogne, furieux d'être attaché et de ne pas pouvoir se jeter sur eux !

— Où sont partis les gamins ? se demandent-ils.

Tout à coup, ils aperçoivent le trou dans le sol !

— Les sales gosses ! Ils ont découvert le souterrain ! s'exclame Carlos.

— Qu'est-ce qu'on va faire ? demande Dan.

— D'abord, on s'occupe du singe ! répond le sinistre clown.

Il ramasse une grosse pierre et la lance sur Bimbo. Le chimpanzé essaie de sauter de côté pour éviter le projectile, mais, gêné par la corde, il le reçoit en plein front. Il pousse un cri et s'effondre, évanoui.

— Tu l'as tué ! s'énerve l'acrobate. M. Gorgio tenait beaucoup à lui.

— Eh bien, tant pis ! lance son compagnon.

Ils s'approchent de l'ouverture du souterrain.

— Les gosses sont à l'intérieur, constate Carlos, qui s'étrangle de colère.

— On ferait mieux de revenir ici cette nuit avec la camionnette. On transfèrera tous les objets dans le coffre, et on filera directement vers l'autoroute pour atteindre la frontière avant l'aube.

— C'est ce qui était prévu de toute façon.

— Oui, poursuit Dan, d'un air sournois,

mais, en plus, on pourra faire une bonne blague aux gosses : les enfermer dans le souterrain !

— Pas bête, murmure Carlos avec un sourire cruel. Cette nuit, on viendra récupérer la marchandise et on laissera les gamins dans la caverne. Quand on sera en sécurité, on fera parvenir un message à Gorgio pour lui dire d'aller les délivrer.

Les deux hommes replacent les planches et la bruyère sur l'ouverture du souterrain. Puis ils poussent la roulotte au-dessus. Ils jettent un coup d'œil en direction de Bimbo. Le chimpanzé est toujours inerte. Sa plaie saigne beaucoup.

— Il n'est pas mort ! assure Dan en lui donnant un coup de pied. Laissons-le ici ! Si on le ramène avec nous, il risque de revenir à lui et de nous attaquer !

Ils redescendent vers le lac. C'est à ce moment que les enfants tentent vainement de sortir ! Mais l'issue est bel et bien bouchée. Ils décident de retourner dans la grotte phosphorescente. Dans un coin, ils repèrent un tas de sable, et choisissent de s'y installer.

— Mieux vaut éteindre nos lampes, recommande Annie. On ne sait pas combien de temps on passera ici. Je propose qu'on n'en allume qu'une à la fois ! Ce serait horrible d'être prisonniers dans le noir...

Tous le monde approuve cette idée. Seule, la torche de François continue de briller. Mick ouvre le sac à dos qu'ils ont emporté et distribue des tranches de pain. Quand les enfants ont goûté, ils se sentent beaucoup plus optimistes.

— Ça va mieux, maintenant, constate Claude. Mais j'ai soif !

— Moi aussi ! soupire Pancho. Si on allait boire dans la source qu'on a entendue tout à l'heure ? L'eau est sûrement bonne !

Ils passent à nouveau devant le précieux butin de Dan et Carlos, et sont bientôt dans la caverne où ils ont perçu des bruits d'eau plus tôt. Ils progressent encore dans la grotte, et trouvent enfin la source. Ils se rafraîchissent. L'eau claire a très bon goût.

Dagobert boit aussi. Cette aventure ne lui plaît pas du tout. Enfin, tant qu'il garde sa petite maîtresse auprès de lui, il s'estime heureux. Si Claude décidait de vivre sous terre, tant pis pour lui ! Il lui tiendrait compagnie.

— Je me demande si cette source jaillit hors de la montagne, s'interroge soudain François. On pourrait la suivre, en espérant que son cours nous mène à l'extérieur.

— On serait tout mouillés, objecte Claude.

Et puis, elle débouche peut-être dans un endroit impossible, comme une falaise à pic...

Mais elle réfléchit. Il n'y a pas d'autre solution.

— Bon, plutôt que de rester là... autant tenter notre chance !

L'eau coule le long d'une paroi et s'engouffre dans une galerie. François l'éclaire. L'un après l'autre, les enfants pénètrent dans l'eau, qui leur arrive aux genoux. Les vaguelettes bouillonnent autour de leurs jambes, car le courant est fort. La petite troupe avance lentement, à la lumière des lampes de poche, en se demandant où la source la conduira...

Dagobert nage plus qu'il ne marche. L'eau est très froide et le chien manifeste son mécontentement. Il décide de dépasser François et de monter sur un rebord qui longe le mur de la galerie.

— Bonne idée, Dago ! s'écrie le garçon en l'imitant.

Il doit ramper pour ne pas se cogner la tête, mais c'est mieux que d'avoir les jambes dans l'eau glacée ! Les autres font de même. Mais quelques mètres plus loin, le rebord en pierre disparaît, et il faut marcher à nouveau dans l'eau.

— Oh ! Je n'ai presque plus pied ! s'inquiète Annie.

Heureusement, en avançant, le niveau de l'eau reste le même. Le courant, en revanche, devient plus fort.

— On dirait que ça descend un peu, par ici, constate François. Peut-être qu'on approche de l'endroit où la source sort de la montagne !

Le jeune garçon a deviné juste. Bientôt, il aperçoit au loin, devant lui, une faible lueur... Il comprend que c'est la lumière du jour !

— On est presque au bout ! encourage-t-il ses compagnons.

Les enfants se dépêchent. Vont-ils réussir à sortir de ce souterrain ? Respirer l'air pur et se réchauffer au soleil ?

Pancho pense à Bimbo, et se demande anxieusement s'il ne lui est rien arrivé de grave. Mick se voit déjà sautant dans le bus et courant à la gendarmerie.

Malheureusement la profondeur de l'eau augmente à mesure que le groupe approche de la sortie. Soudain, Pancho s'arrête, l'air paniqué :

— Je ne peux pas aller plus loin, s'écrie-t-il. Le courant m'entraîne...

— Moi aussi, renchérit Annie.

François tente de nager, mais renonce aussitôt. Il sent que la poussée de l'eau risque de le

145

projeter sur les parois rocheuses, ou de l'entraîner violemment au-dehors...

— Rien à faire, constate-t-il, découragé. On
a marché dans l'eau tout ce temps-là pour rien !
C'est beaucoup trop dangereux. Et dire que la
lumière du jour est à quelques mètres devant
nous... Il y a de quoi devenir fou !

— Il faut revenir sur nos pas, annonce
Claude. Si on reste ici, Dago va se noyer.

Mais la perspective de refaire le trajet en sens
inverse ne les enchante pas.

chapitre 20

Au secours !

Tout le monde est triste. Les enfants avancent très péniblement, car cette fois ils doivent remonter le courant. François frissonne. En essayant de nager, il a complètement trempé ses vêtements. Quand ils atteignent la galerie où ils ont découvert la source, il s'exclame :

— Il faut qu'on bouge pour se réchauffer ! Je suis gelé. Mick, donne-moi l'un de tes pulls. Je dois enlever le mien, il est trop mouillé.

Tout le monde commence à sautiller et à faire le tour de la grotte en petites foulées. Puis chacun se laisse tomber, épuisé, sur le tas de sable. Ils entendent alors un léger bruit. Le chien, aux aguets depuis un moment, se redresse sur ses pattes et gronde sourdement.

147

— Dago nous avertit que quelqu'un approche ! explique Claude, devenant blême.

Elle maintient l'animal contre elle. Tout le monde tend l'oreille. On devine un souffle haletant : le bruit vient de la galerie où coule la source !

— Qui c'est ? murmure Annie, paniquée. Qui a pu avoir l'idée de rentrer dans le souterrain en remontant la source ? Sûrement pas Dan ou Carlos, ils seraient passés par l'autre côté, c'est tellement plus facile !

— Attention, il arrive ! chuchote François. Je vais éteindre ma lumière.

Les enfants écoutent, immobiles dans les ténèbres. Le pauvre Pancho tremble comme une feuille. Dago cesse de gronder, ce qui paraît surprenant. L'inconnu se rapproche. On l'entend respirer de plus en plus bruyamment. Annie se retient de crier...

François rallume sa lampe de poche et la braque sur le nouvel arrivant. C'est Bimbo ! Un Bimbo au poil tout mouillé ! Les enfants l'entourent aussitôt, en poussant des cris de joie. Dagobert saute autour du chimpanzé, et lui fait fête. Bimbo prend Pancho et Annie dans ses longs bras.

— Bimbo ! Tu t'es échappé ! Il a dû ronger

sa corde jusqu'à ce qu'elle craque ! s'écrie François.

Soudain, Claude voit la plaie sur la tête du pauvre singe.

— Il est blessé ! Ces brutes ont dû lui lancer une pierre ! s'indigne-t-elle.

— Il faut laver la plaie, intervient Annie. J'ai un mouchoir propre...

Mais le chimpanzé ne laisse personne toucher son écorchure, même pas son ami Pancho. Il repousse les enfants sans méchanceté, mais fermement.

— Ça ne fait rien, dit finalement son jeune maître. Les plaies des animaux guérissent souvent très vite, même sans soins.

— Hé ! J'ai une idée ! lance soudain Mick. Je ne sais pas si elle vous paraîtra bonne, mais je vais quand même vous la dire !

— Qu'est-ce que c'est ? demandent les autres, intrigués.

— Si on attachait une lettre au cou de Bimbo, et qu'on l'envoyait la porter au camp ? poursuit le garçon. Puisqu'il a pu entrer, il pourra certainement ressortir. Il n'ira pas trouver Dan ou Carlos, parce qu'il a peur d'eux. Mais il fait confiance aux autres artistes de la troupe.

149

— Est-ce que Bimbo comprendra sa mission ? demande François, sceptique.

— C'est possible, répond Pancho. Je l'envoie quelquefois déposer ma veste dans la roulotte... Il ne se débrouille pas mal !

— On doit essayer, insiste Mick. Dans le sac à dos, il y a un stylo et un carnet. Je vais écrire une lettre que j'envelopperai dans une autre feuille, et on attachera le tout au cou de Bimbo avec un lacet de chaussure.

Mick écrit donc :

Venez vite sur la route qui monte au sommet de la montagne. Près du bois de pins, deux roulottes sont garées. Sous la rouge se trouve l'entrée d'un passage souterrain. Nous sommes enfermés à l'intérieur. S'il vous plaît, venez vite nous délivrer !

FRANÇOIS, MICK, CLAUDE,
ANNIE ET PANCHO.

Il lit sa lettre à voix haute. Puis il l'attache au cou du singe. Celui-ci a l'air surpris, mais, heureusement, n'essaie pas de s'en débarrasser.

— Et maintenant, donne-lui tes instructions ! dit Mick à Pancho.

Le jeune dresseur de chevaux parle lentement

et distinctement au chimpanzé, qui écoute d'une oreille attentive.

— Où est Rossy ? Va voir Rossy, Bimbo ! Va chercher Rossy. Va !

Le singe le regarde d'un air implorant : « Je veux rester avec toi ! » semble-t-il dire.

Pancho répète ses consignes.

— Tu as bien compris, Bimbo ? Alors va !

L'animal s'éloigne. Les enfants l'accompagnent jusqu'à la galerie où coule la source. Ils le regardent partir et l'éclairent aussi longtemps qu'ils le peuvent. Annie est très admirative du courage du petit chimpanzé.

— Il est très intelligent, dit-elle. Et si gentil ! Il n'aime pas les souterrains et encore moins l'eau froide. Pour être venu te rejoindre, il faut qu'il t'aime beaucoup, Pancho. Maintenant, j'espère qu'il ira bien trouver Rossy !

— Et pourvu que la lettre ne soit pas trempée ! ajoute Claude.

Ils décident de recommencer à courir pour se réchauffer. Puis ils s'asseyent pour croquer du chocolat. Dagobert se colle contre François, qui trouve que c'est une excellente idée.

— Dago est comme une grosse bouillotte, sourit-il. Approche-toi encore, mon bon chien. Tu me tiens bien chaud !

Ce n'est pas très rassurant d'être assis dans

151

cette caverne, éclairés par une seule lampe électrique. Les enfants se racontent des blagues
pour passer le temps, mais bientôt ils bâillent.

— Il est quelle heure ? demande Annie. Il
doit faire noir dehors maintenant. J'ai sommeil !

— Il est dix heures, répond François. Si
Bimbo a réussi à apporter la lettre au camp, on
devrait bientôt être délivrés.

— Alors, il vaut mieux se rapprocher de
l'entrée du souterrain, suggère Mick en se
levant.

Les enfants regagnent la grande caverne
phosphorescente. Ils décident de rester là, et se
serrent tous les uns contre les autres, pour avoir
moins froid. La faim commence à se faire sentir. Au bout d'un quart d'heure, Annie et Pancho somnolent. Claude lutte contre le sommeil.
Mais les deux frères restent bien éveillés, et
parlent à voix basse. Dagobert, qui veille lui
aussi, semble vouloir prendre part à la conversation. Deux heures s'écoulent ainsi. Tout à
coup, le chien pointe les oreilles et grogne.
François et Mick secouent les dormeurs.

— Je crois qu'on vient nous délivrer, chuchote François. Mais il vaut mieux attendre ici,
au cas où il s'agirait de Dan et de Carlos !
Alors, réveillez-vous et tenez-vous prêts !

Pancho et les deux filles reprennent leurs

esprits. D'un coup, une tête surgit du trou et aussitôt une lumière violente leur fait fermer les yeux. Dagobert gronde furieusement et veut s'élancer, mais Claude le retient, certaine qu'il s'agit de Rossy. Malheureusement, c'est Dan ! Les enfants reconnaissent sa voix rude avant même de rouvrir les paupières.

— J'espère que vous vous êtes bien amusés ! ricane l'acrobate. Tenez bien votre chien, ou je tire dessus ! Regardez le beau fusil que j'ai apporté !

Claude, horrifiée, le voit pointer son arme sur Dago.

— Vous n'oserez jamais ! s'écrie-t-elle sans réfléchir.

Dan répond par un rire narquois. Dagobert, qui ne sait pas le mal que peut faire un fusil, ne comprend pas pourquoi Claude l'empêche de sauter sur leur ennemi. Ce dernier jaillit dans la caverne, suivi de l'oncle de Pancho, et ordonne :

— Tous dans la galerie du fond ! Marchez devant moi. On a du boulot, et c'est pas vous qui nous en empêcherez !

Les enfants se dirigent vers la paroi, Claude en tête, avec son chien, qu'elle tient serré. Dan et Carlos ferment la marche. Ils arrivent devant la cachette des voleurs.

— Stop ! hurle l'acrobate.

Il s'assied, éclairant les enfants d'une main, de l'autre braquant son fusil sur Dagobert.

— Vas-y, Carlos ! ordonne-t-il. Tu sais ce qu'il faut faire !

Son complice jette les écrins et les objets précieux dans un sac vide. Quand ce dernier est plein, le clown le charge sur son dos et s'éloigne. Dix minutes plus tard, il revient et refait la même manœuvre. Apparemment, cette fois, les deux hommes ont l'intention de tout emporter.

— Vous pensiez avoir fait une découverte intéressante, pas vrai ? ricane l'acrobate. C'est vrai que vous avez été malins ! Mais maintenant, vous êtes prisonniers. Eh, oui ! Vous allez rester ici le temps qu'on quitte le pays ! !

— Qu'est-ce que vous voulez dire ? demande François. Vous n'allez pas nous laisser mourir de faim ici ?

— Mais non, mes agneaux, on n'a pas envie de vivre avec vos morts sur la conscience ! répond Dan, qui paraît s'amuser de l'effroi des pauvres enfants. On vous enverra de quoi manger avant de refermer l'entrée du souterrain. Et dans deux ou trois jours, on alertera le cirque pour que quelqu'un vienne vous délivrer !

François espère désespérément que Bimbo

trouvera de l'aide avant que Carlos et son complice n'aient quitté les lieux. Il observe le clown qui entasse des objets précieux dans son grand sac, le portant au-dehors pour le vider dans la camionnette, et revenant le remplir... Mais alors qu'il s'éloigne, lourdement chargé, pour la troisième fois, un grand cri retentit soudain dans le passage :

— Dan ! Au secours ! On m'attaque !

L'acrobate hésite un instant, puis il se dirige vers l'entrée du souterrain.

« C'est Bimbo, j'en suis sûr ! » pense François.

chapitre 21

Mick a une idée formidable !

Mick essaie de garder son sang-froid.

— Écoutez, dit-il aux autres enfants. S'il est tout seul, notre singe va se faire tuer par Dan. Et nous, on restera enfermés ici !

— Mais Bimbo est certainement revenu avec du secours ! s'écrie Annie.

— On ne peut pas en être sûrs. Peut-être qu'il a erré dans les parages et qu'il a rebroussé chemin pour revoir Pancho, réplique son frère, l'air grave. Je vais profiter de la bagarre pour me glisser dans la grotte phosphorescente.

— Mais pour quoi faire ? demande François.

— De là, je me faufilerai vers la sortie sans être vu et j'irai chercher de l'aide... En attendant, trouvez un endroit où vous cacher. Si ces

157

types s'aperçoivent que l'un de nous manque à l'appel, ça ira mal ! Je vais faire vite...

Et, sans attendre de réponse, Mick s'éloigne en direction de l'immense grotte phosphorescente. Là, il entend une rumeur confuse : Bimbo a réussi à attraper les deux voleurs ! Leurs lampes se sont éteintes, et Dan n'ose pas tirer, de peur de blesser Carlos. Mick se précipite, sans bruit, en s'appuyant contre la paroi, et atteint l'issue qui mène à la première caverne. Il monte en s'aidant des crampons. Là, il rallume sa torche électrique pour éclairer le passage, et atteindre la sortie.

Bientôt, il est à l'air libre. Il s'apprête à s'élancer pour chercher du secours lorsqu'il se ravise. Il n'a pas le temps de courir jusqu'au cirque, et encore moins de prendre le bus jusqu'à la gendarmerie ! D'ici à ce qu'il revienne avec de l'aide, les deux malfaiteurs se seront enfuis avec les objets volés. Le jeune garçon n'a aucun doute là-dessus. Et s'il remettait les planches sur l'ouverture, et posait de grosses pierres dessus ? Ça les ralentirait ! Mais Mick n'est pas assez fort pour pousser seul la roulotte... Tant pis, il empilera une grande quantité de rochers sur les lattes de bois. C'est la seule chose à faire.

Le garçon se met fébrilement au travail. Il

fait nuit noire, et il doit éclairer les parages pour dénicher des fragments de roc, détachés de la montagne. Il ne parvient pas à les soulever mais réussit à les faire rouler. Boum ! Boum ! L'un après l'autre, ils viennent s'immobiliser sur les planches, les bloquant complètement.

« J'ai enfermé François, les filles et Pancho avec les voleurs, réfléchit Mick. C'est risqué ! Enfin, je suis certain qu'ils trouveront un endroit sûr pour se cacher... Maintenant, je n'ai plus une minute à perdre ! Je vais aller chez M. et Mme Monnier, et je téléphonerai à la police. »

Il s'en va en courant. Dans le souterrain, les deux hommes ont réussi à échapper au chimpanzé, après avoir été mordus plusieurs fois... Bimbo, affaibli par sa blessure, a finalement dû les lâcher. Grâce à son flair, il se dirige vers la cachette qu'ont trouvée les enfants. Dan aurait certainement tué le petit singe s'il n'avait pas lâché son arme dans la bagarre. Il tâte le sol tout autour de lui. C'est sa lampe de poche qu'il retrouve en premier. Il éclaire son complice.

— On aurait dû se méfier de cette sale bête quand on s'est aperçus qu'il avait disparu, grommelle Carlos. Heureusement qu'il est tombé sur mon sac, sinon je n'aurais pas pu m'en débarrasser !

159

— Allons chercher ce qui reste, et sauvons-nous ! l'interrompt Dan, qui a été très secoué. Encore un sac à remplir... On va retourner là-bas, faire bien peur aux gosses, et tirer sur Bimbo si c'est possible. Ensuite, on file ! Quand on sera sortis, on laissera quelques boîtes de conserve à l'entrée du souterrain avant de le refermer.

— Eh bien moi, je ne tiens pas du tout à me retrouver en face de ce chimpanzé, réplique le clown. Tant pis pour les bijoux qui restent ! Viens, Dan. On s'en va !

L'acrobate n'a pas non plus très envie d'affronter de nouveau Bimbo. Il n'insiste donc pas, et suit son complice. Mais une mauvaise surprise attend les deux voleurs : ils s'aperçoivent que l'entrée a été rebouchée ! Dan éclaire les planches. Il n'en croit pas ses yeux. Qui leur a joué ce tour ? Les voilà prisonniers dans leur propre souterrain ! Carlos devient fou de rage. Il cogne des poings contre les planches, mais ne réussit qu'à se blesser. Rien ne bouge. Finalement, il redescend et se laisse tomber auprès de l'acrobate.

— Quelqu'un a dû remettre la roulotte par-dessus ! On est faits comme des rats ! Qui a bien pu nous boucler ici ? s'énerve-t-il, rouge de colère. Est-ce que les gosses auraient filé

160

pendant qu'on se battait avec le singe ? Allons voir s'ils sont encore là !

Les deux bandits retournent vers l'endroit où ils ont laissé les enfants.

Quelques minutes plus tôt, au moment où Carlos et Dan finissaient leur combat contre le chimpanzé, les jeunes enquêteurs se trouvaient dans la caverne où coule la source. Après avoir inspecté les lieux, François a conclu, découragé :

— Je ne vois pas de recoin où se cacher. Si on va dans la galerie à la source, on sera trempés, gelés, et on ne pourra pas échapper aux bandits s'ils se mettent à nous poursuivre !

— Hé ! J'entends du bruit ! a chuchoté Claude. Éteins ta lampe, François !

Les enfants ont attendu, dans le noir. Claude s'est étonnée que Dago ne gronde pas. Puis elle s'est rendu compte qu'il remuait la queue.

— C'est un ami... a-t-elle murmuré.

— Bimbo ! s'est écrié Pancho. Tu as été au camp ? Est-ce que tu nous ramènes du secours ?

— Non, il n'a pas fait ce qu'on lui a demandé, constate François en désignant la lettre, toujours accrochée au cou du singe. Quel dommage !

— Il est intelligent, mais pas assez pour comprendre une chose aussi difficile, conclut

Claude, déçue. On t'en demandait trop, mon pauvre Bimbo ! Enfin, j'espère que Mick aura pu s'échapper... Il faut absolument se cacher jusqu'à ce qu'il revienne avec de l'aide !

Mais au moment précis où la fillette recommence à tâter la paroi pour essayer d'y découvrir un rebord à escalader, les deux hommes font irruption dans la grotte où se trouvent les enfants. Dan pousse un cri guttural :

— Qu'est-ce que tu fabriques ?

L'acrobate éclaire l'intérieur de la galerie et voit les enfants. Il se précipite vers le fond de la grotte et attrape Claude. Dagobert se met à grogner férocement.

— N'oubliez pas que j'ai un fusil, hurle Dan, et je vous préviens que je tirerai sur ce chien et sur ce singe si l'un de vous fait le moindre geste ! Si vous tenez à eux, je vous conseille de rester tranquilles !

L'acrobate éclaire de nouveau la galerie.

— Pancho, sors de là tout de suite ! gronde Carlos.

— Si je bouge, répond le jeune dresseur de chevaux tout tremblant, Bimbo me suivra. Et il peut te sauter dessus...

L'homme réfléchit pendant quelques secondes. Il n'a pas envie de se battre une fois de plus avec le chimpanzé.

— C'est bon, je n'ai pas besoin de toi. La fille aussi peut rester là : je veux qu'elle tienne le chien. Mais l'autre garçon doit sortir !

Les enfants comprennent qu'il prend Claude pour un garçon. La fillette a l'habitude. Elle répond aussitôt :

— Si je sors, Dago me suivra. Je ne veux pas qu'il soit tué !

— On ne te demande pas ton avis ! hurle Dan, menaçant.

— Hé ! Il manque une fille ! remarque soudain Carlos. Pancho nous a dit qu'il y avait deux garçons et deux filles. Où est l'autre gamine ?

— Elle doit être un peu plus loin dans la galerie, répond son complice. On la récupèrera plus tard. Toi, sors de là !

Ces derniers mots s'adressent à Claude. Annie tremble de peur :

— N'y va pas ! Ils te feront du mal. Dis-leur que tu es une...

— Tais-toi ! l'interrompt sa cousine. Prend le collier de Dagobert à ma place !

Annie empoigne le chien d'une main. Claude saute dans la caverne. Mais au moment où l'acrobate se saisit de la fillette, François envoie un grand coup de pied dans la lampe du bandit... Elle heurte la voûte de la grotte et retombe par terre avec fracas. Tout le monde se retrouve alors dans l'obscurité.

— Ça ne va pas se passer comme ça ! hurle Dan.

Soudain, un coup de feu éclate : l'acrobate vient de tirer sur Dagobert...

— Oh ! Dago ! gémit Claude, tu n'es pas blessé ?

La fin de l'aventure

Non, Dagobert n'a pas été touché. La balle a frôlé son oreille et s'est perdue dans la paroi de la caverne. Aussitôt, le chien riposte en mordant Dan à la jambe. L'homme s'écroule. Son fusil lui échappe des mains. François entend l'arme rebondir sur le sol, à son grand soulagement.

— Claude, allume ta lampe, vite ! crie-t-il.

Carlos pousse un hurlement de terreur quand la lumière revient : le chimpanzé est en train de se précipiter sur lui. Le clown prend ses jambes à son cou, et dévale les galeries du souterrain pour échapper à son ennemi, pendant que son complice se débat contre Dagobert, qui semble prêt à l'égorger... Mais l'oncle de Pancho ne va pas loin : quatre hommes en uniforme

165

surgissent du passage. C'est Mick qui les a conduits dans le souterrain ! L'un des gendarmes tient un revolver à la main. Carlos n'oppose aucune résistance.

— Dagobert ! Assez ! Viens ici ! commande Claude lorsqu'elle aperçoit les forces de l'ordre.

— Que s'est-il passé ? demande le chef de la brigade.

Il scrute Dan, qui est resté à terre.

— Allez, debout ! poursuit-il.

L'acrobate se relève avec difficulté. Dagobert l'a mordu aux mollets et aux cuisses. Un peu étourdi, il regarde le brigadier et ses hommes, et se demande comment ils sont entrés dans le souterrain. Puis il voit Mick, et comprend tout.

— Alors, comme ça, tu as réussi à filer et tu as refermé l'entrée du souterrain ! explose-t-il. Espèce de petit...

Il lève le poing dans un geste menaçant.

— Du calme, dit sévèrement l'un des gendarmes en l'attrapant par le bras.

— Mick ! Comment tu as fait pour revenir aussi vite ? demande François.

— Je suis allé à la ferme des Monnier, j'ai tambouriné à la porte jusqu'à ce que le fermier m'ouvre, et de là, j'ai téléphoné à la police. Les secours sont arrivés très vite en voiture. Où sont Annie et Pancho ?

— Les voilà ! répond son frère, en les éclairant.

Tous deux sortent de la galerie où ils sont restés tapis. Mick aperçoit le visage d'Annie, pâle et encore marqué par l'angoisse.

— C'est fini, dit-il d'un ton doux et rassurant. On est sortis d'affaire.

La fillette esquisse un faible sourire. Claude rappelle son chien près d'elle, pour éviter qu'il ne morde Dan une fois de plus. L'acrobate la regarde fixement. Puis il se tourne vers Mick et François, et enfin vers Annie.

— Je ne vois qu'une fille ! grogne-t-il. Pancho, pourquoi est-ce que tu nous as fait croire qu'il y en avait deux ?

— Parce que c'est la vérité, répond tranquillement le jeune garçon.

Il désigne Claude du doigt.

— En réalité, elle s'appelle Claudine ! Mais elle est plus courageuse que bien des garçons !

La petite maîtresse de Dagobert est très fière de ce compliment. Elle lance à Dan un regard de défi.

Le brigadier pose quelques questions aux jeunes aventuriers, et note leurs réponses sur son carnet.

— Sortons d'ici, décide-t-il enfin.

Quand ils arrivent devant la cachette des

167

voleurs, les gendarmes prennent avec eux les objets restants. Carlos marmonne des injures.

— Est-ce qu'on va les mettre en prison ? demande Annie à Mick.

— Je pense que oui... acquiesce-t-il. D'après le brigadier, ça fait quatre ans qu'ils sont recherchés par la police.

Les enfants ont hâte de quitter le souterrain. Ils sont très soulagés de voir les étoiles briller au-dessus de leurs têtes quand ils sortent enfin du trou, l'un après l'autre. Les gendarmes passent les menottes aux deux voleurs et les font monter dans le fourgon qu'ils ont garé à côté des roulottes du Club des Cinq.

— Vous ne devez pas avoir très envie de rester seuls ici, après toute cette histoire, dit le brigadier aux jeunes campeurs. On va vous raccompagner chez vos parents.

— Non, merci, répond poliment François. On a l'habitude des aventures. On sera très bien ici, avec Dagobert et Bimbo !

— Pour cette nuit, d'accord. Mais nous sommes obligés de prévenir vos parents de ce qui s'est passé. Nous reviendrons demain prendre vos dépositions. Et si vos familles demandent qu'on vous ramène chez elles, il ne faudra pas protester.

— Bien sûr, approuve le jeune garçon.

168

Le chef de brigade s'adresse ensuite à ses hommes.

— L'un de vous se mettra au volant de la camionnette des deux suspects. C'est là qu'ils ont stocké la marchandise.

Puis, il se retourne vers Mick :

— Merci de nous avoir aidés à capturer ces malfrats !

Les enfants regardent les voitures de police et la fourgonnette des voleurs s'éloigner sur la route. Ils se sentent complètement épuisés, après tant de péripéties. Il est plus de minuit. Après avoir avalé un rapide dîner, chacun tombe sur son lit et s'endort aussitôt. Et cette nuit-là, aucun rôdeur ne vient les déranger !

Le lendemain matin, vers neuf heures, les enfants sont réveillés par de petits coups frappés à la porte de la roulotte des garçons. François s'assied brusquement sur son lit et crie :

— Qui est là ?

— C'est nous ! répond la voix chaleureuse de Mme Monnier.

Le jeune garçon ouvre la porte :

— On voulait savoir ce qui s'était passé après le coup de fil de Mick, explique le fermier.

169

— J'aurais dû revenir chez vous pour vous rassurer, reconnaît Mick. Excusez-moi, j'étais tellement fatigué ! Les policiers sont venus arrêter les voleurs dans le souterrain. Ils ont emporté tout leur butin. Quelle nuit ! Merci encore de m'avoir laissé téléphoner, sans vous, je...

— C'était la moindre des choses, l'interrompt M. Monnier. Tenez ! On vous a apporté de quoi reprendre des forces !

Il pose sur le sol deux paniers débordant de fruits frais, de pain chaud et d'onctueuses confitures. Pancho et Bimbo surgissent brusquement de dessous leurs couvertures. Mme Monnier pousse un cri de surprise :

— Qu'est-ce que c'est ? Un singe ?

— Un chimpanzé, madame, la corrige poliment le jeune dresseur de chevaux. Il ne vous fera pas de mal ! Bimbo ! Lâche ce panier !

L'animal, qui espérait pouvoir se régaler sans être vu, cache son visage dans ses mains velues et regarde la fermière à travers ses doigts écartés.

— Qu'il est drôle ! sourit-elle. On dirait un petit enfant qui a fait une bêtise !

Claude et Annie, réveillées par Dagobert, accourent pour voir ce qui se passe devant la roulotte des garçons. Après quelques minutes de conversation, M. et Mme Monnier s'en vont, car ils ne veulent pas laisser leurs filles seules trop longtemps.

— Revenez nous voir, les enfants ! Vous serez toujours les bienvenus chez nous !

chapitre 23

Au revoir, Pancho !

Alors qu'ils terminent leur petit déjeuner, une voiture noire s'arrête tout près des enfants. Le brigadier en descend, accompagné d'un inspecteur de police.

— Bonjour ! lance ce dernier, d'un ton jovial. Je vois que vous ne mourez pas de faim !

— Vous voulez des tartines ? propose gentiment Annie.

— Non, merci, répond le brigadier.

Il s'assied à côté d'elle, pendant que son collègue examine les lieux avec soin. Les jeunes campeurs racontent leur extraordinaire aventure.

— Les voleurs ont dû être furieux quand ils ont constaté que l'un de vous avait rebouché l'entrée du souterrain ! fait remarquer le gendarme.

173

— Et comment ! Au fait, qu'est-ce que vous pensez des objets volés ? Ils ont une grande valeur ? demande Claude.

— Dan et Carlos ne dérobaient que des pièces rares, explique l'inspecteur, en s'installant près de la fillette. Ils les cachaient ensuite pendant un an ou deux, jusqu'à ce que la police ait abandonné ses recherches. Puis ils les revendaient à l'étranger...

— C'est vrai que mon oncle partait souvent en voyage... confirme Pancho, d'un air pensif. Il disait avoir des amis partout en Europe.

— D'après notre enquête, il était sur le point de rejoindre la Hollande. On a retrouvé des billets de train dans la camionnette. Vous êtes intervenus juste à temps ! Quant à Dan, c'est un voleur peu ordinaire. Ça fait longtemps qu'il est connu des services de police, mais personne n'a jamais pu prouver qu'il était l'auteur des cambriolages.

— Ça ne m'étonne pas, intervient le jeune dresseur de chevaux. C'est un acrobate exceptionnel ! J'imagine qu'il devait grimper le long des gouttières, se tenir en équilibre sur les balcons, sauter sur le toit des maisons. Impossible de le prendre en filature !

— Tu as certainement raison, déclare l'ins-

174

pecteur en notant les propos du jeune garçon dans son carnet.

Pendant cette conversation, Bimbo joue avec un pot de miel. Il se met à le lécher consciencieusement. Dagobert, très intéressé par la mimique du singe, s'approche de lui. Inquiet, ce dernier soulève le pot au-dessus de sa tête en articulant bien haut : « Yarra – yarra – yarra – yarra ! » Désarçonné, Dagobert préfère retourner auprès de Claude. Elle écoute avec attention le gendarme qui parle maintenant des cavernes souterraines.

— Elles sont très anciennes, explique-t-il. Autrefois, il y avait une entrée en bas de la montagne, mais une avalanche l'a bouchée. Personne n'a jamais cherché à la dégager. Nos deux voleurs ont dû trouver l'autre entrée par hasard, celle qui se situait sous votre caravane. Ils ont pensé que, pour cacher leur butin, le souterrain serait idéal : il est tout près de l'endroit où le cirque campe chaque année. Et puis, il y fait sec, ce qui est important.

— Vous avez été voir M. Gorgio, le directeur du cirque de l'Étoile ? demande soudain Pancho.

— Oui, ce matin. J'ai interrogé tout le monde. De toute évidence, Carlos et Dan agissaient seuls. Les autres membres de la troupe n'étaient au courant de rien.

Annie se tourne vers le jeune dresseur de chevaux et lui demande doucement :

— Si tu retournes au camp, qui s'occupera de toi, Pancho ?

— Je n'en sais rien, répond-il d'un air morose. Il y aura certainement quelqu'un pour me prendre sous son aile, mais je ne sais pas si j'ai encore envie de cette vie-là. C'est fatigant, à la longue, d'être toujours sur les routes. Et je ne peux pas me faire d'amis, parce que le cirque ne s'arrête jamais longtemps dans les villes où il donne ses spectacles...

— Reste avec nous quelques jours, propose François. Après toute cette histoire, on va profiter de la fin de nos vacances.

Mais le jeune garçon se trompe en croyant qu'ils pourront prolonger leur séjour à la montagne.

— J'ai eu vos parents hier au téléphone, intervient le brigadier. Ils ont l'air très inquiets. Ils m'ont demandé de vous ramener chez vous. Nous allons vous laisser rassembler vos affaires, et nous reviendrons vous chercher cet après-midi, à trois heures. Vos roulottes seront escortées jusque chez M. et Mme Gauthier.

Puis les deux hommes rentrent dans leur voiture, et s'en vont.

— C'est dommage... soupire Annie. Il faut partir !

— Je vais aller chez les Monnier pour téléphoner à maman et papa, décide François. Je leur expliquerai que tout est rentré dans l'ordre et qu'il n'y a plus aucun danger pour nous.

Sur le chemin, le garçon réfléchit à l'aventure qu'il vient de vivre. Il se sent triste pour Pancho. Que va-t-il devenir ? Il n'a ni parents ni amis. En arrivant à la ferme, il explique ses préoccupations à Mme Monnier.

— Est-ce que Pancho serait d'accord pour venir vivre avec nous ? demande la fermière. Tu sais, mon mari et moi nous aimons beaucoup les enfants, et je suis sûre que Caroline et Émilie aimeraient avoir un grand frère...

Le regard de François s'illumine.

— Vous pourriez l'adopter ? demande-t-il, avec un sourire plein d'espoir.

— Nous serions enchantés de l'accueillir dans notre famille. Mais il faut être sûr qu'il en ait vraiment envie. Et si j'allais lui poser la question tout de suite ?

— Bonne idée ! Je vais passer un rapide coup de fil à mes parents, et ensuite on ira voir Pancho !

177

Le jeune garçon téléphone à ses parents. M. et Mme Gauthier refusent catégoriquement que les enfants restent un jour de plus dans la montagne. François est un peu contrarié, mais il finit par se résigner. Il rejoint les roulottes, accompagné de Mme Monnier.

— Pancho ! crie-t-il en arrivant. Pancho ! Est-ce que ça te plairait d'aller vivre à la ferme ?

— Comment ça ? demande le jeune dresseur de chevaux, interloqué.

— Mon mari et moi, nous serions très heureux de t'adopter, explique la fermière.

Elle s'approche du garçon, s'assied à côté de lui et poursuit en souriant :

— Tu pourrais jouer avec les petites. On formerait une jolie petite famille, tu ne crois pas ? Je t'inscrirais au collège de la ville voisine. Tu t'y ferais certainement plein de copains !

Pancho a l'air hésitant.

— Votre proposition me tente beaucoup... Mais je ne veux pas me séparer de Flic !

— Mais ton chien est le bienvenu chez nous ! s'exclame Mme Monnier en souriant. Il pourra garder les moutons !

Bimbo s'approche de son jeune maître.

— Mon pauvre chimpanzé... Malheureusement, je sais que je ne pourrai pas te garder.

Tu appartiens à M. Gorgio, et le cirque a besoin de toi pour ses représentations...

Claude est un peu émue. Elle pense aussi au pauvre Flac, qui doit être mort.

— Allez, dit la fermière en se levant. Va vite chercher tes affaires au camp du cirque, et quand tu reviendras, je te présenterai Caroline et Émilie.

Pancho acquiesce. Il a l'air heureux.

Les enfants disent au revoir à Bimbo, qui doit rentrer au camp. Le singe serre la main de tout le monde. Il semble comprendre qu'il s'agit d'un adieu. Les jeunes campeurs regrettent de le voir partir. Quand il a descendu le chemin sur une vingtaine de mètres, il se retourne et revient en courant vers Annie. Il passe son bras autour d'elle et la serre un instant, doucement, comme pour dire : « Vous êtes tous bien gentils, mais c'est Annie ma préférée ! »

— Tiens, Bimbo, voilà un cadeau ! lui dit la fillette, très touchée de cette marque d'affection.

Elle lui tend une tomate. Le petit singe, tout heureux, rejoint Pancho qui se dirige vers le camp du cirque.

Les enfants nettoient les roulottes et mettent de l'ordre dans leurs affaires. Quand ils ont fini, ils attendent le retour de Pancho. Est-ce qu'il

arrivera à temps pour leur dire au revoir ? Oui !
Le jeune dresseur de chevaux revient en sifflant
gaiement. Le Club des Cinq l'entend, et court
à sa rencontre. Leur ami porte un sac à dos.
Deux chiens le suivent. Deux !

— Oh ! Flac est là ! s'écrie Claude. Il est
guéri !

Pancho sourit de toutes ses dents. Ses amis
l'entourent et caressent l'animal rescapé.

— Rossy l'a bien soigné et le voilà tout fré-
tillant, comme s'il ne lui était rien arrivé !

En fait, Flac est encore un peu faible sur ses
pattes, mais il suit bravement, heureux d'avoir
retrouvé son cher maître. Dagobert a l'air
enchanté de revoir les deux fox-terriers.

— J'ai de la chance, raconte Pancho. Au
camp, tout le monde a été très gentil. Les
artistes m'ont souhaité bonne chance, et m'ont
promis de m'écrire toutes les semaines. Et, bien
sûr, je serai le premier prévenu quand le cirque
de l'Étoile reviendra dans la région l'année prochaine !

Les enfants déjeunent une dernière fois sur
leur petite terrasse. Le dresseur de chevaux a
un pincement au cœur en pensant qu'il va
devoir se séparer de ses amis. Mais il se console
en imaginant la nouvelle vie qui s'offre à lui,

chez M. et Mme Monnier. Il sait qu'il sera heureux chez eux.

À trois heures précises, l'escorte policière arrive. Elle se compose de deux fourgonnettes blanches et bleues. Pancho grimpe dans la roulotte des garçons.

— Vous n'aurez qu'à me déposer à la ferme, puisque c'est sur votre chemin.

Le petit cortège se met en route. La première voiture, conduite par le brigadier, roule très lentement, en tête. La deuxième suit la caravane de Claude et Annie. Quand ils arrivent devant la maison de M. et Mme Monnier, les enfants disent au revoir à Pancho, et à ses deux chiens.

— Salut ! crie le jeune dresseur de chevaux. Bonne chance ! J'espère que vous reviendrez par ici !

— Au revoir ! répondent les autres. Passe le bonjour à ton singe quand tu le verras !

— Ouah ! Ouah ! fait Dagobert.

Seuls, Flic et Flac comprennent ce qu'il vient de dire : « Saluez ce vieux Bimbo pour moi ! »

Au revoir, Club des Cinq ! Rendez-vous pour une prochaine aventure !

**Quel nouveau mystère
le Club des Cinq
devra-t-il résoudre ?**

**Pour le savoir,
regarde vite la page suivante !**

● ● ● ● ● ● ● ● ● ● ● ● ● ●

Claude, Dagobert
et les autres sont prêts
à mener l'enquête

Dans le 7ᵉ tome de la série
le Club des Cinq,

Le Club des Cinq
en randonnée

Parti en randonnée dans une région déserte de landes et de collines, le Club des Cinq pensait profiter de quatre jours de vacances paisibles. Mais voilà que Dagobert se blesse : il faut trouver un vétérinaire au plus vite ! Errant en pleine nuit dans la campagne sauvage, les jeunes aventuriers ne sont pas très rassurés : que signifie ce son de cloche dans l'obscurité ? Il signale qu'un dangereux prisonnier s'est évadé et rôde dans les environs...

Retrouve toutes les aventures du Club des Cinq en Bibliothèque Rose !

1. Le Club des Cinq et le trésor de l'île

2. Le Club des Cinq et le passage secret

3. Le Club des Cinq contre-attaque

4. Le Club des Cinq en vacances

5. Le Club des Cinq en péril

6. Le Club des Cinq et le cirque de l'Étoile

7. Le Club des Cinq en randonnée

8. Le Club des Cinq pris au piège

9. Le Club des Cinq aux sports d'hiver

10. Le Club des Cinq va camper

11. Le Club des Cinq au bord de la mer

12. Le Club des Cinq et le château de Mauclerc

13. Le Club des Cinq joue et gagne

14. La locomotive du Club des Cinq

15. Enlèvement au Club des Cinq

16. Le Club des Cinq et la maison hantée

17. Le Club des Cinq et les papillons

18. Le Club des Cinq et le coffre aux merveilles

19. La boussole du Club des Cinq

20. Le Club des Cinq et le secret du vieux puits

21. Le Club des Cinq en embuscade

22. Les Cinq sont les plus forts

23. Les Cinq au cap des Tempêtes

24. Les Cinq mènent l'enquête

25. Les Cinq à la télévision

26. Les Cinq et les pirates du ciel

27. Les Cinq contre le Masque Noir

28. Les Cinq et le Galion d'or

29. Les Cinq et la statue inca

30. Les Cinq se mettent en quatre

31. Les Cinq et la fortune des Saint-Maur

32. Les Cinq et le rayon Z

33. Les Cinq vendent la peau de l'ours

34. Les Cinq et le portrait volé

Table